Les Éditions du Boréal
4447, rue Saint-Denis
Montréal (Québec) H2J 2L2
www.editionsboreal.qc.ca

Jean Hamelin
Jean Provencher

Brève histoire du Québec

Nouvelle édition

Boréal

Les Éditions du Boréal remercient le Conseil des Arts du Canada
ainsi que le ministère du Patrimoine canadien et la SODEC
pour leur soutien financier.

Illustration de couverture : *Ferme à Sainte-Claire-de-Dorchester (hiver)*,
ANQ (79-27).

Dépôt légal : 2ᵉ trimestre 1997
Bibliothèque nationale du Québec

Diffusion au Canada : Dimedia
Diffusion et distribution en Europe : Les Éditions du Seuil

Données de catalogage avant publication (Canada)

Hamelin, Jean, 1931-

    Brève histoire du Québec
    Éd. rev. et augm.

    ISBN 2-89052-840-5

    I. Québec (Province) – Histoire. I. Provencher, Jean, 1943-   . II. Titre.

FC2911.H35   1997   971.4   C97-940795-8

F1052.95.H35   1997

NOTE LIMINAIRE

Ce petit livre présente un survol de l'histoire du Québec depuis la Nouvelle-France jusqu'à nos jours. Un tel projet implique forcément qu'on effleure seulement certains sujets et qu'on laisse de côté d'autres qui trouveraient leur place dans un ouvrage plus complet. Conscients de ces contraintes, les auteurs ont centré leur exposé sur l'évolution politique, en l'éclairant par les principaux faits socio-économiques.

*Jean Hamelin avait déjà éprouvé partiellement cette formule dans un texte qu'il avait écrit pour l'*Annuaire du Québec 1966-67, *et publié par la suite au* Boréal Express *sous le titre «Le Canada français: son évolution historique». Près de quinze ans plus tard, ce texte, maintenant épuisé, était encore en demande... C'est d'ailleurs ce texte qui a servi de point de départ pour la rédaction du présent ouvrage. Il ne s'agit pas cependant d'une simple mise à jour: on a aussi voulu tenir compte des acquis de l'historiographie, qui a beaucoup évolué ces dernières années. Pour ce faire, Jean Hamelin a demandé à Jean Provencher de procéder avec lui au remaniement du premier texte et à la rédaction des pages consacrées à la période contemporaine.*

Les auteurs tiennent à remercier Céline Cyr, spécialiste du Régime français, et Robert Tremblay, spécialiste de l'évolution des relations de travail, pour leurs suggestions pertinentes.

LA FRANCE S'INSTALLE
EN AMÉRIQUE

La France a mis du temps à réclamer sa part du «testament d'Adam» en Amérique. Tandis que le Portugal, l'Espagne et l'Angleterre lancent au 15e siècle des expéditions sur l'Atlantique, la France guerroie en Italie et s'enlise dans une politique méditerranéenne. Seuls ses morutiers, après les voyages de Cabot en 1497 et 1498, fréquentent la route de Terre-Neuve où abonde la morue. Ce n'est qu'en 1523 que la France, sans doute aiguillonnée par le retour de l'expédition de Magellan, qui a percé la barrière américaine au sud et atteint les richesses de l'Asie, s'intéresse à trouver au nord de l'Atlantique une route directe vers l'Asie.

Giovanni da Verrazano, au nom du roi de France, se met en route en 1524. Il est le premier à explorer la façade du continent américain, depuis la Floride jusqu'au Cap Breton, qu'il baptise Francesca, en l'honneur de François Ier. Verrazano doit interrompre ses recherches jusqu'en 1528, car François Ier, vaincu par Charles Quint à Pavie, n'est plus en mesure de l'aider. Pendant ce temps, Esteban Gomez et Lucas Vasquez de Ayllon plantent le drapeau espagnol sur le littoral que vient d'explorer Verrazano. Ce dernier entreprend bien une nouvelle traversée de l'Atlantique en 1528, mais il n'en reviendra jamais. La Francesca de Verrazano aura duré ce que durent les roses.

François Ier demande à Jacques Cartier, un navigateur de Saint-Malo qui avait, croit-on, à son crédit des voyages au Brésil et à Terre-Neuve, de continuer l'œuvre de Verrazano et de «découvrir certaines isles et pays où on dit qu'il doit se trouver grant quantité d'or et d'autres riches choses». Lors de son voyage de 1534, Cartier pénètre par le détroit de Belle-Isle dans le golfe Saint-Laurent, car entre Gaspé, l'île d'Anticosti, Terre-Neuve et le cap Breton, il n'a vu que de la terre ferme. En 1535, il reconnaît la configuration exacte du golfe et pénètre dans le fleuve Saint-Laurent par le chenal qui sépare Anticosti de la Côte-Nord. Des guides indigènes lui révèlent que cette rivière mène au royaume de Canada. Cartier se rend jusqu'au village d'Hochelaga situé sur l'île actuelle de Montréal et revient hiverner à Stadaconé (Québec). Il ne rentre en France qu'en 1536.

Les voyages de Cartier n'inaugurent pas une occupation systématique de la vallée laurentienne, même si, lors de son dernier voyage en 1541-1542, le roi fait mine, pour s'attirer les faveurs du pape, de s'intéresser à l'évangélisation des indigènes et à la colonisation du pays. La France recherche de l'or et une route pour atteindre les Indes, mais le Canada ne contient que du quartz et de la pyrite de fer. On délaisse donc cette terre inhospitalière pour se tourner vers le Brésil et la Floride, où il semble exister des possibilités de «provigner» une Nouvelle-France. Durant tout le 16e siècle, ce sont les pêcheurs normands, bretons et basques qui gardent le contact avec Terre-Neuve et le golfe Saint-Laurent.

La pêche à la morue, occupation saisonnière, n'incite guère à la colonisation. Tout change cependant durant le dernier tiers du 16e siècle avec l'apparition d'une nouvelle denrée, la fourrure. Certes, depuis plusieurs années, les indigènes établis le long de la façade du golfe troquent occasionnellement des fourrures avec les morutiers français. La fourrure américaine s'impose en France, alors que la mode des vêtements de fourrure se répand de plus en plus dans les classes aisées. Escomptant d'intéressants bénéfices, des marchands de Rouen et de La Rochelle organisent, à partir des années 1580, des expéditions chargées uniquement de rapporter des fourrures. Or, le commerce des fourrures implique la pénétration du continent, des contacts suivis et étroits avec les fournisseurs indigènes et, par la force des choses, une occupation permanente du sol. La fondation de Tadoussac, en 1599, par Pierre Chauvin, symbolise une orientation nouvelle des rapports entre l'Amérique et la France: celle-ci installe son premier comptoir de commerce permanent en terre canadienne.

Le commerce des fourrures nécessite l'occupation du territoire, mais il ouvre aussi la porte à la colonisation, au sens de peuplement et d'exploitation intensifs d'un territoire. Jusqu'ici, en effet, le manque de capitaux avait entravé la France dans ses tentatives de s'implanter en Amérique; la colonisation aux frais de l'État, comme au temps de Roberval, un demi-siècle plus tôt, s'était révélée un fardeau excessif pour un roi engagé dans les guerres de religion. Le commerce des fourrures permet de trouver une solution à ce problème: en retour d'un monopole octroyé par l'État, une compagnie privée assumerait, à même ses bénéfices, le fardeau de la colonisation. D'où l'origine du système des compagnies utilisé par Henri IV. Ce dernier confie à Pierre du Gua de Monts le monopole de la traite des fourrures entre le 46ᵉ et le 40ᵉ degré de latitude nord.

De Monts songe d'abord à s'établir en bordure du fleuve. Il s'installe plutôt en Acadie en 1604, où il fonde Port-Royal l'année suivante. Le site choisi comporte de nombreux inconvénients: les Anglais le réclament, il est exposé aux incursions des corsaires et des maraudeurs, enfin, il est trop éloigné des chasseurs indigènes qui ravitaillent les Français en fourrures. De Monts cherche donc ailleurs un endroit plus favorable. Il envoie Champlain effectuer des voyages de reconnaissance vers le sud, en direction de la Nouvelle Amsterdam (New York), et vers le nord, à l'intérieur des terres. En 1608, il opte justement pour un établissement à l'intérieur des terres, au cœur des tribus de chasseurs et à l'abri des maraudeurs. Il charge Champlain d'aller fonder une *Abitation* sur le Saint-Laurent.

En sa qualité de lieutenant du sieur de Monts qui détient le monopole de la traite, Champlain remonte le Saint-Laurent au début de l'été 1608. Il laisse son navire à Tadoussac et, avec une grosse barque, il parvient vis-à-vis du promontoire du cap aux Diamants, où il fait immédiatement construire l'*Abitation* de Québec. Champlain marque ainsi le désir de la France de prendre racine en terre canadienne, mais il n'a en tête aucun plan de peuplement. Il est plutôt préoccupé par l'organisation du commerce des fourrures qui l'oblige, dès son arrivée, à tenir compte de la présence des Amérindiens et à nouer avec eux des relations sans lesquelles il sera impossible de pénétrer le continent.

L'irruption des Européens le long du Saint-Laurent comporte à long terme de lourdes conséquences pour les Amérindiens. Vers 1600, ils sont 225 000 en Amérique du Nord, dont 25 000 environ dans le Québec d'aujourd'hui. Ils vivent en nations, dont certaines sont nomades (les Algonkiens) et d'autres sédentaires (les Hurons-Iroquois). Les contacts avec les Européens vont briser l'équilibre entre ces nations, saper leur culture, décimer leurs effectifs et les refouler loin des régions stratégiques. Bref, la colonisation se soldera par l'effacement de la civilisation amérindienne.

1608-1763
La Nouvelle-France

FOURRURES
ET EXPANSION COLONIALE

En 1608, Champlain n'a donc pas de programme de colonisation bien arrêté. Dix ans plus tard, fort de l'expérience acquise, il en échafaude un en fonction du commerce et de l'exploitation des richesses naturelles, l'agriculture pouvant tout au plus assurer la survivance des résidents dans la colonie. D'autres projets surgissent par la suite. En 1627, Richelieu suggère d'implanter un grand nombre de Français catholiques en Nouvelle-France. Non seulement l'évangélisation des indigènes y trouverait son avantage, mais on stimulerait aussi le commerce et on assurerait la formation d'une marine marchande. Sous l'inspiration du mouvement de la Contre-Réforme catholique, la place de l'évangélisation dans le projet de colonisation se fait plus grande durant les années 1630 et 1640. Les impératifs de la géographie nord-américaine et de la politique impériale française, cependant, vont orienter de toute autre façon le destin de la Nouvelle-France. En effet, dans le système mercantiliste alors en vigueur, une colonie fournit la matière première et la métropole les produits ouvrés. La Nouvelle-France n'offre cependant que des ressources semblables à celles de la métropole: elle ne recèle ni or ni argent, elle ne produit ni sucre, ni chocolat, ni café. À vrai dire, elle possède pour la France une seule denrée intéressante, le castor. Ce sont donc les exigences du commerce des fourrures qui d'abord vont peser lourd dans le développement de la colonie.

Ces exigences sont multiples et capricieuses. Il faudra d'abord intégrer dans un réseau commercial les tribus de chasseurs qui troquent la fourrure. Le castor, un animal sédentaire qui vit en famille, est une proie par trop facile pour les chasseurs qui devront pénétrer de plus en plus loin dans l'*hinterland* pour quérir la précieuse denrée. Comme seul le réseau hydrographique, à une époque où n'existent ni système routier, ni chemin de fer, ni avion, donne accès aux réservoirs de fourrures, la France devra s'assurer le contrôle des principaux bassins: artère du Saint-Laurent, artère de l'Hudson-Mohawk, artère du Mississippi-Missouri, artère de la baie d'Hudson et de ses affluents. En ce sens, les impératifs du commerce rejoignent les visées impérialistes de la métropole: les commerçants recherchent l'expansion pour accéder à de nouveaux réservoirs de fourrures, tandis que les politiques tentent de bâtir un empire et trouver la route de l'Asie.

En s'établissant à Tadoussac, les Français avaient signifié leur désir d'entrer en contact permanent avec les Amérindiens chasseurs; en fondant Québec, ils avaient annoncé leur intention de contrôler le bassin laurentien. Québec devient vite la plaque tournante du commerce des fourrures. Les Français s'efforcent d'ouvrir la route de l'Outaouais qui conduit aux fourrures des Grands Lacs. Ils s'allient aux Hurons et aux Algonquins. Ceux-ci, établis sur l'Outaouais, servent d'intermédiaire entre les Français et les tribus de l'Ouest. Ils vont chercher des peaux de castor chez les tribus éloignées et viennent les vendre d'abord à Québec, puis dans les années 1620 à Trois-Rivières, enfin à Montréal à partir des années 1640. C'est la grande période des foires annuelles où, chaque printemps, des centaines de canots chargés de fourrures parviennent aux établissements français.

L'EMPIRE FRANÇAIS
EN AMÉRIQUE DU NORD

La recherche effrénée du castor et le désir de trouver un passage vers l'Asie ont poussé les Français aux quatre coins de l'Amérique du Nord. On a peine aujourd'hui à imaginer l'immensité de la Nouvelle-France au milieu du 18e siècle. Voici la description géographique que nous en fait le sieur Boucault, en 1754:

«Son étendue actuelle comprend...

1. L'Isle Royale qui est à l'entrée du golfe du Canada, avec toutes les isles qui se trouvent dans cette baye.
2. La terre ferme de l'Acadie, le long de la presqu'île d'Acadie, jusqu'à la mer, et ce qui se trouve jusqu'à la Nouvelle-Angleterre en tirant à l'Ouest.
3. La terre ferme de Labrador, et toutes les côtes maritimes qui se terminent et s'étendent du Détroit de Belle-Isle jusqu'à la Baye d'Hudson.
4. Toutes les terres aboutissantes au fleuve du Saint-Laurent, depuis son embouchure jusqu'à sa source, et à celle de toutes les rivières qui s'y déchargent.

... Le gouvernement de la Nouvelle-France ne se borne pas du côté de l'Ouest et du Nord-Ouest au lac Supérieur, n'y même aux sources du fleuve Saint-Laurent; les Français ont, depuis plusieurs années, occupé plusieurs postes dont le détail serait trop long pour ce mémoire, mais tout ce qu'on en peut dire, c'est qu'il paraît qu'il y a beaucoup plus loin du lac Supérieur à ces derniers postes, que de Montréal aux extrémités les plus éloignées du lac Supérieur...

Depuis que la Compagnie des Indes a remis au Roy la Louisiane, l'administration du temporel a été rétablie..., excepté que les Illinois sont sous l'autorité immédiate du gouvernement particulier de la Louisiane, qui lui-même reconnaît le gouverneur général de la Nouvelle-France pour son supérieur.»

Les Français profitent de leurs relations amicales avec les Hurons et les Algonquins pour explorer et contrôler la région des Grands Lacs. Étienne Brûlé, de 1615 à 1623, explore le lac Ontario, le nord de la Nouvelle Amsterdam et de la Pennsylvanie, la rive sud du lac Huron et peut-être aussi le lac Supérieur. Vers 1634, Jean Nicolet franchit le Sault Sainte-Marie, traverse le détroit de Michillimackinac, le haut du lac Michigan, pénètre dans la baie Verte, remonte la rivière du Renard. Médard Chouart des Groseilliers et Pierre-Esprit Radisson, entre 1658 et 1660, auraient atteint le Mississippi. On sait que, de 1661 à 1663, ils traitèrent dans le Wisconsin actuel et se rendirent peut-être à la baie James par la rivière Albany.

Cependant, les Français alliés aux Hurons ont des rivaux: les Hollandais installés dans le bassin de l'Hudson-Mohawk. Ces derniers sont alliés aux Cinq-Nations ou Iroquois, qui vivent dans la région comprise entre le lac Champlain et le lac Érié. La rivalité franco-hollandaise accentue la rivalité huro-iroquoise. Les Iroquois détruisent, en 1648, la Huronie et attaquent les Français. Ainsi, vers 1660, les Iroquois ont ruiné le premier système commercial échafaudé patiemment par les compagnies françaises. Celles-ci doivent le reconstruire, mais elles ont besoin de l'État pour mater les Iroquois. C'est à ce moment que le jeune Louis XIV prend place sur le trône de France. Il réunit la colonie à la Couronne et lui donne le statut d'une province française. Il envoie le régiment de Carignan-Salières pour maintenir l'ordre. Les Iroquois se soumettent.

La paix est rétablie en 1665. Les Français délaissent alors le système des intermédiaires indigènes et envoient des explorateurs dans toutes les directions, puis des traiteurs qui contactent directement les tribus de l'ouest, du sud et du nord. La course des bois prend une grande envergure dans les années 1670 et marque le déclin des foires annuelles de Montréal. L'État consolide l'avance des traiteurs et des explorateurs en bâtissant des forts. De nouveaux centres commerciaux surgissent: Michillimackinac, Sault Sainte-Marie, etc. Des compagnies se forment. Ainsi, la Compagnie du Nord groupe des commerçants de Québec et de Montréal qui veulent exploiter le pourtour de la baie d'Hudson. Le coureur des bois et le voyageur sont les héros de cette épopée commerciale.

La Nouvelle-France n'en finit pas de s'étendre de 1665 à 1713. Antérieurement on avait intégré dans l'orbite française la région des Grands Lacs. Dans les années qui suivent, les Français débordent le bassin laurentien. Robert Cavelier de La Salle, en 1669, se rend sur l'Ohio. En 1673-1674, Louis Jolliet et Jacques Marquette, par la voie déjà fréquentée de la baie Verte et de la rivière du Renard, atteignent la rivière Wisconsin qui les conduit au Mississippi qu'ils descendent jusqu'au confluent de l'Arkansas. La Salle continue les explorations de Jolliet et Marquette entre 1679 et 1682 par le golfe du Mexique. La France s'assure ainsi le contrôle du bassin du Mississippi.

Cette poussée expansionniste perturbe le commerce des fourrures. Les traiteurs qui partent pour plusieurs mois ont besoin d'appui financier et s'associent les commerçants montréalais. Le «partnership» se développe et commence à caractériser l'organisation du commerce des fourrures. L'afflux à Montréal des mauvaises fourrures du sud engendre la surproduction. Les prix baissent. Pour freiner la production, le gouverneur défend la course libre des bois et impose des permis de traite. Vaine mesure. Les coureurs des bois refusent de revenir dans la vallée laurentienne et s'abouchent avec les commerçants anglais d'Albany pour bâtir un impressionnant marché noir de la fourrure.

Beaucoup plus grave que le marché noir est la rivalité qui s'accentue entre les bassins fluviaux. Les marchands d'Albany continuent toujours d'utiliser les Cinq-Nations à des fins commerciales. Puis, en 1668, une nouvelle menace se dessine: des Groseilliers se rend par mer avec les Anglais à la baie d'Hudson. En 1670, les Anglais fondent la Compagnie de la baie d'Hudson, qui commence à établir des postes de traite aux embouchures des affluents de la baie d'Hudson et de la baie James. Le riche réservoir de fourrures du Nord échappera-t-il aux Français?

Les guerres impériales que commencent à se livrer l'Angleterre et la France dans les années 1680 auront leurs répercussions dans les colonies américaines. L'heure est venue de décider par les armes du contrôle des bassins fluviaux, qui constituent l'épine dorsale du commerce des fourrures. D'où une série de guerres qui mettent aux prises les Hurons et les Iroquois et les Français et les Anglais. Les deux grands rivaux se rencontrent face à face dans la région de la baie d'Hudson. Le Moyne d'Iberville, nommé en juin 1690 commandant de tous les navires français qui naviguent dans les eaux de la baie d'Hudson, réussit par une série d'exploits remarquables à chasser les Anglais de la région. Il trouve même le temps, en 1696, de se porter à la défense des pêcheurs morutiers français en allant détruire les installations de pêche anglaises à Terre-Neuve. Par contre, les Anglais ratent leur contre-offensive: Phipps échoue devant Québec en 1690 et l'armada anglo-américaine commandée par Walker, en 1711, se brise sur les récifs de l'Ile-aux-Œufs.

Les plus durs coups, ce sont les Iroquois, «bras séculier des puritains d'Albany», qui les portent. Le gouverneur Antoine Lefebvre de La Barre tente en vain, en 1684, de répéter l'exploit du régiment de Carignan. La maladie qui décime les troupes françaises oblige La Barre à conclure la paix honteuse de l'Anse de la Famine, au sud du lac Ontario. Son successeur, Jacques-René de Brissy, marquis de Denonville, réussit à affamer les Tsonnontouans, non à les vaincre, en 1687. Ceux-ci ripostent en détruisant le village français de Lachine deux ans plus tard. Trop faible pour les battre sur le plan militaire, le gouverneur Louis de Buade, comte de Palluau et de Frontenac, préfère donc user de diplomatie. Cette stratégie convaincra les Cinq-Nations de signer, en 1701, un traité de paix. Le rapprochement franco-iroquois établit le contrôle de la France sur le bassin de l'Hudson-Mohawk.

Au début du 18e siècle, la France atteint son apogée en Amérique. Elle contrôle tous les bassins fluviaux qui mènent aux fourrures, elle domine dans le golfe Saint-Laurent et commence à mettre en valeur la Louisiane. Victorieuse en Amérique, la France est cependant vaincue en Europe, où une coalition l'oblige à accepter le traité d'Utrecht en 1713. Utrecht annule les victoires coloniales. Aux termes du traité, la baie d'Hudson, Terre-Neuve et l'Acadie française passent aux mains de l'Angleterre, l'Iroquoisie passe dans l'orbite anglaise. Ce sont là de durs coups. Désormais le plus beau réservoir de fourrures appartient à l'Angleterre et, fait plus grave, les Anglais, par l'Iroquoisie, ont directement accès aux Grands Lacs et peuvent ainsi tronçonner la Nouvelle-France en isolant la vallée laurentienne du bassin du Mississippi.

Utrecht appelle des mesures correctives. La France érige de toutes pièces la forteresse de Louisbourg pour maintenir son influence dans le golfe; elle invite les Acadiens à s'établir sur l'île Royale, l'île Saint-Jean et dans l'Acadie continentale; elle procède à l'occupation effective de la région du lac Champlain et bloque la route des Grands Lacs en construisant le fort Niagara. Cependant la réponse la plus spectaculaire est peut-être la percée de Pierre Gaultier de La Vérendrye vers l'ouest.

Les voyages de La Vérendrye s'inscrivent dans la tradition française qui depuis Verrazano recherche un passage pour atteindre l'Asie. Cartier, Champlain, Jolliet, La Salle ont tous été habités par ce rêve. Au 17ᵉ siècle, on hésite entre deux routes: Iberville propose de chercher du côté de l'Arctique (mer du Nord), d'autres vers le sud ou directement par l'intérieur. Utrecht a comme conséquence de fixer les esprits sur une route intérieure. Des explorations dans l'intérieur permettraient de faire d'une pierre deux coups: découvrir un passage vers l'Asie et isoler les Anglais solidement établis sur le pourtour de la baie d'Hudson. En effet, les Anglais ne pénètrent pas dans l'intérieur; ils se contentent d'attendre les indigènes dans leurs postes de traite. En établissant un réseau de postes et de forts entre les Anglais établis sur le pourtour de la baie James et les tribus de l'Ouest, les Français espèrent ainsi détourner à leur profit, vers Montréal, le commerce des fourrures de l'Ouest et du Nord-Ouest. Montréal demeurerait le grand centre des fourrures de l'Amérique et les mauvais effets du traité de 1713 seraient annulés.

Dès 1716, le gouverneur Pierre de Rigaud de Vaudreuil et l'intendant Michel Bégon esquissent un plan d'exploration mais on tarde à passer aux actes. La métropole doute du succès de l'entreprise. Ce n'est qu'en 1728, avec la nomination de Pierre Gaultier de La Vérendrye au poste de commandant du poste du Nord (ce poste comprend Kaministiquia, Nipigon, Michipicoton) que les opérations sont amorcées. La Vérendrye interroge les indigènes, puis en 1730, il vient à Montréal mettre sur pied sa première expédition. Alors commence l'une des plus belles épopées du Régime français. La Vérendrye et ses fils, utilisant les possibilités du réseau hydrographique, fondent le fort Saint-Pierre au lac La Pluie en 1731, le fort Saint-Charles au lac des Bois en 1732, le fort Maurepas à l'embouchure de la rivière Rouge en 1734, le fort Bourbon à l'embouchure de la rivière Saskatchewan en 1741 et le fort Dauphin au sud du lac Winnipegosis. En 1742-1743, un des fils de La Vérendrye se rend sur le Missouri, parcourt l'est du Montana actuel et les plaines du Wyoming, traverse du sud au nord le Dakota-Nord et le Dakota-Sud. La Vérendrye laisse l'Ouest en 1744. Ses successeurs manifestent moins d'intérêt pour la découverte et davantage pour le commerce des fourrures.

Grâce à La Vérendrye, les Français réussissent un temps à endiguer les conséquences d'Utrecht et à river les Anglais aux pourtours de l'Atlantique et de la baie d'Hudson. Les maintenir longtemps dans ces limites est cependant une tâche qui dépasse les capacités de la France et de sa colonie. À peine peuplée de 80 000 âmes, la Nouvelle-France ne peut indéfiniment tenir dans un étau les treize colonies américaines, dont la population dépasse un million d'habitants et prend appui sur une métropole riche et dynamique. L'expansion territoriale masque les faiblesses internes de la Nouvelle-France. Quand la coalition anglo-américaine décide de desserrer les pinces de l'étau français, la Nouvelle-France s'écroule: Québec capitule en 1759 et Montréal se rend en 1760.

ORGANISATION POLITIQUE ET RELIGIEUSE

Le système des compagnies qui dure de 1588 à 1663 nécessite une organisation politique minimale du territoire. Un vice-roi détient le monopole de la traite, qu'il cède moyennant une rente annuelle à une compagnie. Le prince de Condé, en novembre 1612, devient le premier titulaire de la vice-royauté. Le détenteur du monopole porte le titre de lieutenant-général de la Nouvelle-France. Le vice-roi a le pouvoir de peupler et fortifier le pays, de faire du commerce avec les indigènes, de prescrire des lois et des ordonnances. Il délègue ses pouvoirs à un lieutenant

— ce rôle est dévolu d'abord à Champlain — qui veille à ce que la compagnie assume ses responsabilités en matière de colonisation. À vrai dire, ces responsabilités sont bien légères. Ainsi la Compagnie de Rouen et de Saint-Malo, formée en 1613, ne prend l'engagement d'établir que six familles par année. La compagnie doit en outre entretenir les missionnaires et assurer la paix et le bon ordre.

Cette structure administrative variera avec les années. En 1627, le monopole est concédé directement à la Compagnie des Cent Associés. La grande nouveauté, c'est que Richelieu, premier ministre et surintendant du commerce et de la navigation, est le chef de la compagnie. Il assure ainsi la présence de l'État et du Roi. Comme le vice-roi, Richelieu délègue ses pouvoirs administratifs à un lieutenant-général dans la colonie.

Ce lieutenant prendra le titre de gouverneur en 1635. Notons que Champlain n'a jamais été un gouverneur en titre. La vice-royauté reparaît en 1644, mais n'est plus qu'un titre honorifique; désormais, plus aucun vice-roi ne jouera de rôle significatif dans l'histoire de la Nouvelle-France.

En 1645, la Compagnie des Cent Associés afferme son monopole à une compagnie coloniale qui prend le nom de Communauté des Habitants de la Nouvelle-France. On ne sait exactement qui, à l'origine, dirige cette compagnie, si ce n'est qu'en 1648 le roi ordonne que le conseil soit formé de cinq membres: le gouvernement, le supérieur ecclésiastique et trois conseillers ou syndics. De passage à Québec, les gouverneurs particuliers de Montréal et de Trois-Rivières peuvent assister aux séances de ce conseil.

Durant les années 1650, de nouveaux rouages administratifs apparaissent. On crée des tribunaux seigneuriaux, appelés sénéchaussées, à Montréal et à Trois-Rivières (1651). Jusque-là, le gouverneur seul ou le gouverneur en conseil rendait justice.

Comme il n'y a pas d'avocats, les parties en cause exposent leur point de vue. Elles peuvent en appeler au gouverneur, puis au Parlement de Paris. Sur le plan religieux, on assiste aussi à une restructuration administrative. Auparavant, quelques évêques français prétendaient avoir juridiction sur le Canada, alléguant que les navires qui y transportaient des colons partaient de ports rattachés à leur diocèse. Les Jésuites, arrivés en 1625, reconnaissaient l'évêque de Rouen comme l'«ordinaire» de la Nouvelle-France. En 1657, le supérieur des Sulpiciens exerce les fonctions de grand-vicaire de l'archevêque de Rouen à Montréal et le supérieur des Jésuites, celle de grand-vicaire à Québec. C'est le pape Alexandre VII qui tranche la question de compétence. Il crée un vicariat apostolique rattaché directement au Saint-Siège et nomme Monseigneur François de Montmorency-Laval vicaire apostolique. Celui-ci arrive en 1659 pour assumer de ses fonctions. Mais ce n'est qu'en 1674 que le vicariat apostolique sera érigé en évêché à cause des démêlés entre Louis XIV et la papauté.

Le peu d'évolution des structures administratives reflète bien l'état précaire de la colonie en 1663. Aussi quand Louis XIV, aiguillonné par son ministre Colbert, entreprend de relancer la colonisation française en Amérique, il commence par effectuer une profonde réorganisation administrative. Il supprime la Compagnie des Cent Associés et met en place des rouages qui calquent ceux des provinces françaises. La Nouvelle-France acquiert alors ses institutions administratives essentielles.

Le roi administrera désormais directement la colonie par l'intermédiaire de ses ministres. À partir de 1669, la Nouvelle-France dépend du ministère de la Marine. D'où l'importance du ministre de la Marine dans l'histoire canadienne.

Le gouverneur représente le roi dans la colonie. Il exerce son autorité dans le domaine militaire et dans les relations extérieures. Il est nommé par le roi, auquel il rend compte chaque année de son administration. À la suggestion de Monseigneur de Laval, Louis XIV nomme, le 1er mai 1663, Augustin de Mésy pour occuper ces hautes fonctions.

La nomination d'un intendant — poste créé par Richelieu dans les provinces de France en 1636 — est une grande nouveauté. L'intendant est la figure centrale du nouveau système administratif. Sa compétence est très étendue puisqu'il s'occupe de la justice, de la police et des finances. Dans un cabinet moderne, il détiendrait tous les portefeuilles, sauf celui de la milice et des affaires extérieures. Le premier intendant en titre est le sieur Robert de Fortel, nommé par le roi le 21 mars 1663. En fait le sieur de Fortel ne vint jamais au Canada. C'est Jean Talon, arrivé en 1665, qui exerce pour la première fois les fonctions d'intendant en Nouvelle-France. Enfin au niveau de chaque paroisse les capitaines de milice doivent faire connaître à la population les ordonnances ou les édits et les faire exécuter.

Le Conseil souverain, dont le rôle a beaucoup évolué au 17e siècle, constitue un autre rouage important dans le nouveau système administratif. Il comprend le gouverneur, l'évêque, l'intendant et cinq conseillers. À l'origine, l'évêque et le gouverneur nommaient les conseillers; puis le roi, afin d'éviter les frictions entre le gouverneur et l'évêque, prit l'habitude de les nommer lui-même. Ce Conseil souverain, dont le nombre de membres allait sans cesse augmenter, demeure à toutes fins pratiques une cour d'appel pour les cours de justice de la colonie. Il juge, depuis 1644, suivant la coutume de Paris.

La réorganisation de 1663 ne touche guère les divisions administratives existantes. La Nouvelle-France demeure divisée en trois gouvernements — gouvernement de Québec, gouvernement de Trois-Rivières et gouvernement de Montréal — ayant chacun à leur tête un gouverneur particulier, un lieutenant du roi et un représentant de l'intendant; cependant l'île de Montréal perd son autonomie administrative. En effet, la Société Notre-Dame de Montréal, qui travaillait depuis 1642 à peupler l'île et administrait cette partie de la colonie, perd ses privilèges.

L'administration de la justice subit, elle aussi, de nombreuses transformations. La justice royale supplante, en 1663, la justice seigneuriale instaurée en 1651. Des cours de première instance, appelées prévôtés ou juridictions royales, sont établies dans chaque gouvernement. Les juridictions royales grugent sans cesse le domaine des cours seigneuriales, dites bailliages ou sénéchaussées. En 1693, le roi limite à la moyenne et à la basse justice l'autorité des cours seigneuriales, c'est-à-dire que ces cours ne peuvent plus entendre que des litiges mineurs. L'Amirauté, tribunal qui a juridiction sur les affaires maritimes, n'apparaît qu'en 1717.

Sur le plan religieux, Monseigneur de Laval, qui joue un rôle important dans le gouvernement civil — il participe à la nomination des conseillers, siège au Conseil souverain, influence le choix des gouverneurs — procède à la même époque à une réorganisation en profondeur de l'Église canadienne. Il établit, en 1663, la dîme pour subvenir à l'entretien du clergé. Il la fixe au treizième minot. On trouve ce taux un peu trop élevé, si bien que Talon, par une ordonnance en date du 4 septembre 1667 baisse la dîme au vingt-sixième minot. Le roi, à compter de 1682, versera annuellement une gratification de 8000 livres pour venir en aide aux curés titulaires de paroisses pauvres.

La fondation du séminaire de Québec date aussi de 1663. C'est le presbytère de Québec qui sert de grand séminaire jusqu'en 1681. Le petit séminaire ouvre ses portes en 1668: on utilise à cet effet la maison de Guillaume Couillard, charpentier et matelot. Monseigneur de Laval a des conceptions fort originales pour organiser son clergé, qu'il considère comme une grande famille dont il est le père. «La sainte famille des missions étrangères», telle est son expression favorite pour désigner son clergé.

En 1664, l'organisation paroissiale prend forme avec la création de la paroisse Notre-Dame de Québec. Du temps de Monseigneur de Laval, tous les curés sont amovibles et ils sont rattachés au séminaire de Québec, qui perçoit les dîmes, se charge de leur subsistance et les assiste durant leur maladie et leur vieillesse. Cette organisation paroissiale reflète bien les idées de Monseigneur de Laval, qui écrivait un jour: «Nous désirons que le Séminaire des Missions Étrangères soit une continuelle école de vertu et un lieu de réserve, d'où nous puissions tirer des sujets pieux et capables pour les envoyer à toutes rencontres, et au besoin dans les paroisses, et tous autres lieux du dit pays, afin d'y faire les fonctions curiales... et les retirer des mêmes paroisses et fonctions, quand on le jugera à propos.»

Adaptée sans doute à un pays de missions, cette conception paroissiale devient vite désuète avec l'extension du peuplement et le développement de la société. Monseigneur Jean-Baptiste de La Croix de Chevrières de Saint-Vallier, successeur de Laval, procède à une réforme du système paroissial. En 1692, il obtient la séparation du clergé et du séminaire de Québec. À partir de cette date, les curés sont inamovibles et gardent la dîme.

C'est aussi à la même époque que se précise l'organisation militaire. Jusqu'en 1663, les compagnies détentrices du monopole de la traite devaient assumer, en principe, la défense du pays. Montmagny, le premier gouverneur, avait formé durant la première guerre iroquoise des camps volants, sortes de compagnies mobiles qui se portaient rapidement aux endroits menacés. C'était trop peu pour contenir la pression qu'exerçait sur les frontières de la colonie la coalition anglo-iroquoise. On fait appel au roi qui envoie le régiment de Carignan-Salières pacifier le pays. Arrivé en 1665, le régiment repasse en France en 1667-1668: le problème de la défense demeure entier. La milice sera une réponse à ce problème.

En effet, en 1663, les Montréalais se regroupent en milice. On étend le système à toute la colonie, en 1669: tout individu mâle, âgé de 18 à 60 ans, doit porter les armes. Les miliciens sont formés en compagnies d'au moins 50 hommes. Le recrutement des compagnies s'effectue sur une base paroissiale. Chaque compagnie est commandée par un capitaine de milice, nommé par le gouverneur.

À compter de 1683, le roi fait passer au Canada quelques compagnies des Troupes de la marine qui viennent épauler les miliciens. Peu à peu, ces compagnies prennent le caractère d'une armée permanente et régulière. Miliciens et soldats se battent côte à côte sous la direction du gouverneur, qui est aussi général en chef. Il est assisté d'un état-major où siègent les gouverneurs particuliers de chaque gouvernement.

COLONISATION ET PEUPLEMENT

Vers 1663, à la fin du régime des compagnies, la Nouvelle-France compte environ 3000 habitants: une centaine vivent à Terre-Neuve dans la région de Plaisance, 400 environ sont établis au Cap Breton et à Miscou, 2500 occupent la vallée laurentienne, disséminés entre Québec et Montréal.

Le système des compagnies a été un échec quasi total. On est loin d'avoir réalisé les espérances nourries par Champlain ni les objectifs visés par Richelieu lors de la fondation de la compagnie des Cent Associés en 1627. Louis XIV, par l'intermédiaire de Colbert et de Talon, entend bien corriger la situation par une politique dynamique de colonisation. Il devient urgent de contrer la poussée anglaise du Sud: les colonies américaines comptent déjà, en 1663, une population de plus de 80 000 habitants.

Néanmoins, le bilan n'est pas complètement négatif. De 1608 à 1663, on a prouvé la possibilité de coloniser la vallée laurentienne. De plus, on a retenu un instrument de lotissement et de répartition du sol: le régime seigneurial.

À partir de 1663, le roi met de l'ordre dans le système seigneurial. Il rattache à son domaine les seigneuries que la Compagnie des Cent Associés avait concédées à des sociétés ou à des amis. L'intendant procède périodiquement à un nouveau découpage seigneurial, au rythme des pressions démographiques et des besoins militaires. En tout, sous le Régime français, on crée environ 250 seigneuries qui recouvrent les deux rives du Saint-Laurent, les vallées de la Beauce et de la Richelieu, la région du lac Champlain.

On a peut-être surévalué l'importance du régime seigneurial. Les historiens d'aujourd'hui le remettent beaucoup en question. La seigneurie, d'abord, n'est pas un cadre de production et le système seigneurial n'est pas le moteur de l'activité économique. Il ne crée pas non plus une société d'ordres, car la propriété seigneuriale ne confère ni la noblesse ni n'exempte des impôts de toutes sortes. Le système seigneurial n'encadre guère non plus les colons qui, souvent, ne peuvent compter sur des seigneurs indigents ou absents. L'occupation du sol et sa mise en valeur semblent plutôt avoir été le résultat d'entreprises communautaires où la valeur individuelle, les stratégies familiales, la qualité des sols et le milieu naturel ont joué des rôles plus déterminants. Il n'en reste pas moins que les véritables études à ce sujet font défaut et leur absence empêche de porter un jugement d'ensemble catégorique.

LE RÉGIME
SEIGNEURIAL

Le système seigneurial est un mode de division, de distribution et d'occupation de la terre. Il consiste à diviser le sol, suivant l'axe du Saint-Laurent, en rectangles étroits, mais d'assez grande superficie, concédés à des seigneurs. La fonction économique du seigneur s'apparente à celle d'un entrepreneur en colonisation. Ainsi le seigneur peut se tailler un domaine personnel à l'intérieur de sa seigneurie, mais il a l'obligation de diviser le surplus de son fief en terres qu'il concède à des colons, aussi appelés censitaires. Les droits et les devoirs de chacun sont prévus. Le seigneur doit faire acte de foi et hommage au roi, il doit produire un recensement de sa seigneurie, verser le droit de quint quand il vend sa seigneurie, construire un moulin à farine, et même remettre sa seigneurie s'il néglige ses devoirs. Le plus important de ses devoirs est de concéder des lots. Par contre, le seigneur jouit d'un certain nombre de droits dont les plus importants sont les rentes annuelles que lui paient les censitaires: les lods et ventes, qui sont un impôt prélevé par le seigneur quand le colon vend sa terre, le droit de mouture, qui équivaut au quatorzième minot des grains que les colons font moudre à son moulin, le droit de retrait qui donne priorité au seigneur pour acheter une terre mise en vente par un censitaire.

Des règles aussi précises fixent les devoirs du censitaire. Il doit tenir feu et lieu, c'est-à-dire construire une maison et y vivre, payer sa rente au seigneur à la Saint-Martin, défricher sa terre, œuvrer à la construction et à l'entretien des chemins, planter le mai (un sapin ébranché) devant le manoir du seigneur une fois l'an. Mais, en dépit de ces devoirs, les avantages sont nombreux pour le colon. Il peut, sans capital, se procurer une terre; il s'établit dans une unité économico-sociale, qui lui procure les services essentiels: chemins, moulin à farine, église.

L'étendue de la géographie seigneuriale masque la faible densité du peuplement, car nombre de seigneuries sont peu peuplées. Plusieurs seigneurs manquaient de capitaux pour mettre leur seigneurie en valeur. À la fin du Régime français, la Nouvelle-France compte environ 80 000 habitants et le Canada, région qui n'englobe que la vallée laurentienne de La Malbaie à l'Outaouais, environ 65 000. La faiblesse démographique découle du faible nombre d'immigrants.

Les Français mettent du temps à prendre racine sur les bords du Saint-Laurent. On compte à peine 100 habitants en Nouvelle-France en 1627 et 2500 vers 1660. On estime que de 1608 à 1760, 10 000 immigrants français s'établissent au Canada: 3500 soldats, 1100 femmes, 1000 prisonniers, 3900 engagés et 500 hommes libres.

Ces chiffres illustrent la motivation des immigrants et les modalités de recrutement. Plusieurs colons sont d'anciens soldats en garnison qui, au terme de leurs années de service, préfèrent s'établir dans la colonie plutôt que de retourner en métropole. Les engagés sont pour la plupart des ouvriers agricoles ou des apprentis qui tentent l'aventure américaine pour améliorer leur niveau de vie. Dépourvus d'expérience et de capitaux, ils signent un contrat qui les oblige à travailler pour un commerçant ou un fermier durant trois ans. Par la suite, ils sont libres de s'établir sur une terre. Les prisonniers sont de faux-sauniers, des braconniers ou des contrebandiers déportés sur ordre du roi. Ils s'engagent à leur arrivée comme garçons de service pour trois ans, puis se marient et s'établissent sur des terres. Les «filles du roi» sont des orphelines, élevées aux frais de l'État dans des institutions religieuses. Envoyées par le roi, elles sont logées aux frais de l'État en attendant de trouver un mari.

Le volume et la répartition temporelle de l'immigration

L'immigration française en Nouvelle-France	
Période	*Immigrants*
1608-1640	296
1640-1660	964
1660-1680	2542
1680-1700	1092
1700-1720	659
1720-1740	1008
1740-1760	3565

française révèlent que l'augmentation de la population tient pour une large part à l'accroissement naturel, qui s'effectue à un rythme étonnant. Les démographes estiment que le taux de natalité dépasse largement 55 pour 1000 et que le taux de mortalité varie entre 23 et 39 pour 1000. Il s'ensuit un bilan démographique positif impressionnant. Il n'est guère facile d'expliquer cet accroissement naturel prodigieux. Les observateurs de l'époque mentionnent la salubrité du climat et l'abondance de l'espace au premier rang parmi les facteurs qui ont permis au taux des naissances d'atteindre 65 pour 1000. Soulignons aussi que cet accroissement démographique s'appuie sur une politique sociale dynamique et originale pour l'époque. Le roi accorde des allocations spéciales aux familles nombreuses, il dépose des cadeaux dans la corbeille des jeunes mariés. Quand les «filles du roi» arrivent dans la colonie, les célibataires ont quinze jours pour prendre femme, sinon ils perdent leur permis de chasse.

L'agriculture et le commerce des fourrures constituent les activités économiques fondamentales de cette population. Dotée de richesses naturelles semblables à celles de la métropole, dépourvue de capitaux et de gens de métier, limitée par son climat rigoureux et par les cadres mercantilistes qui assignent à une colonie le rôle de fournisseur de matières premières, la Nouvelle-France a connu une lente évolution économique. Dans les dernières années qui précèdent la conquête britannique, le commerce des fourrures domine encore les activités économiques. La fourrure compose plus de 70% des exportations de la colonie.

Les mécanismes du commerce des fourrures sont fort complexes. Une compagnie métropolitaine détient le monopole exclusif de l'exportation du castor, qui est la fourrure alors la plus en vogue. Tout traiteur dans la colonie doit apporter ses peaux aux bureaux de la compagnie situés à Québec et à Montréal. À l'intérieur de la colonie, la traite est minutieusement réglementée. L'État afferme au plus haut enchérisseur, qui seul a le droit de traiter avec les Amérindiens, des régions entières comme le Domaine du Roi, situé entre Sept-Îles et La Malbaie, ou des forts comme le fort Frontenac. À Détroit et à Michillimackinac, la traite est libre, mais il faut un congé de traite, c'est-à-dire un permis du gouverneur, pour y séjourner.

Les traiteurs troquent avec les Amérindiens des outils, des fusils, des ustensiles, de l'eau-de-vie contre des fourrures. Au fur et à mesure que le territoire de traite s'étire vers l'ouest et vers le nord, les traiteurs doivent modifier leur système. Ils s'associent à ces commerçants montréalais qui avancent les capitaux et les marchandises. Peu à peu s'établit un système de «partnership» dans lequel commerçants et traiteurs collaborent étroitement et partagent les risques et les bénéfices.

La course des bois, à cause des bénéfices qu'elle laisse espérer et de l'enivrement qu'elle procure, a fasciné la jeunesse canadienne. L'intendant Jacques De Meulles dénombrait vers 1685 plus de 600 jeunes dans les bois, c'est-à-dire presque tous les jeunes Canadiens nés au pays. En vain a-t-on tenté d'endiguer cette saignée démographique et de fixer la jeunesse sur des terres.

Tandis que la course des bois provoque une expansion continue de la Nouvelle-France vers l'ouest et vers le nord, l'agriculture enracine au sol le long des rives du Saint-Laurent et de la Richelieu une population d'habitants qui vont assurer la survivance du peuplement français après la conquête britannique.

Les statistiques agricoles n'impressionnent guère pourtant. En 1739, on relève 188 105 arpents en culture, une production de 634 605 minots de blé, de 162 207 minots d'avoine et de 92 153 minots de pois. C'est peu si l'on se rappelle que la fondation de Québec remonte en 1608. Les rendements sont quand même assez élevés pour l'époque. Ils tiendraient autant au fait que les terres soient neuves qu'au fait que les habitants aient su s'adapter à leur environnement. Bien qu'à l'origine la plupart des immigrants de France étaient des apprentis, des ouvriers agricoles ou des soldats, leurs enfants seraient peu à peu devenus d'authentiques agriculteurs. Ici encore, comme en bien d'autres questions, les spécialistes divergent d'opinion.

Tous s'accordent, cependant, sur le fait que l'agriculture laurentienne a longtemps manqué de stimulant. À partir des années 1760, on fait face à une surproduction chronique, sauf durant les années de mauvaises récoltes ou de guérillas intensives contre les Amérindiens. On produit, par exemple, 19 minots de blé per capita en 1706. Aux prises avec des stocks qu'il ne peut vendre, l'agriculteur n'est guère enclin à augmenter ses emblavures ni à améliorer ses techniques. Les conditions évoluent après 1708: le marché intérieur s'accroît et des échanges permanents s'établissent avec les Antilles françaises, puis avec l'île Saint-Jean et Louisbourg. L'ouverture des marchés extérieurs crée une demande qui incite l'habitant à augmenter sa production.

Les intendants s'efforcent de diversifier cette agriculture trop axée sur la culture du blé. On introduit, en 1721, la culture du tabac. Quelques années plus tard, on attire l'attention de l'agriculteur sur le chanvre et le lin, qui pourraient rapporter de beaux écus. Le chanvre connaît son apogée dans les années 1730 et le lin dans les années 1740. Le recensement de 1739 mentionne une production de 127 218 livres de lin et de 215 932 livres de tabac.

L'élevage ne constitue qu'une activité marginale. En 1739, on dénombre 26 260 moutons, 27 258 cochons et 38 821 bêtes à cornes. Les troupeaux sont anémiques, faute de fourrages verts. Nombreux sont les hivers où les habitants doivent tuer la plupart de leurs bêtes, n'ayant même plus de paille à leur donner.

Dans le secteur manufacturier, les progrès sont minimes. Inspiré par Colbert, Talon avait rêvé d'asseoir la colonie sur la mise en valeur de ses ressources naturelles. Dans la politique de Talon, la construction navale devait être l'épine dorsale du secteur manufacturier, sur laquelle se grefferaient les petites industries: voileries, corderies, goudronneries, forges, etc. Cette politique allait malheureusement à l'encontre des intérêts métropolitains, qui considéraient la colonie comme un marché pour leurs produits: «Tout ce qui pourrait faire concurrence avec les manufactures du Royaume ne doit jamais être fait dans les colonies.» Cet énoncé mercantiliste devait freiner le développement du secteur manufacturier et limiter les investissements les plus importants à l'industrie du bois et du fer.

C'est l'intendant Gilles Hocquart qui relance la construction navale presque abandonnée depuis le départ de Talon en 1672. En 1729, Hocquart obtient du roi des subsides pour les entrepreneurs en construction navale. Dix ans plus tard, il organise à Québec un chantier de construction navale entretenu par le roi. Ce chantier, qui lance plusieurs flûtes et régates de plus de

500 tonneaux, connaît une activité intense entre 1739 et 1750. Durant la même période, des particuliers s'intéressent au minerai de fer de la région trifluvienne. En 1733, François Poulin de Francheville s'associe à des commerçants pour établir des forges sur la Saint-Maurice. La faillite de la compagnie, en 1741, oblige le roi à prendre les forges à sa charge, en 1743. Ces forges emploient une centaine d'hommes et fabriquent des poêles, des enclumes, des boulets et quelques canons.

Dans le secteur primaire, les Canadiens enregistrent quelques succès dans les pêcheries. Il ne s'agit pas ici des grandes pêcheries du golfe et des Bancs de Terre-Neuve, qui sont exploités directement par la métropole. Les Canadiens s'adonnent à la pêche, en particulier au saumon et à la morue, sur la Côte-Nord actuelle, où l'intendant a concédé «des postes de pêche sédentaires». On y chasse aussi, au printemps surtout, le phoque et le béluga, dont la peau et l'huile sont recherchées. Il ne s'agit là, à vrai dire, que de modestes entreprises à caractère artisanal; ainsi, la production d'huile n'aurait jamais dépassé 2218 barils par année. La pêche à la morue n'occupe qu'une trentaine de petits navires vers 1740, alors que la flotte de pêche de la Nouvelle-Angleterre occupe 24 354 marins, jauge 123 910 tonneaux et procure un revenu de 759 886 livres sterling.

LA SOCIÉTÉ
À LA FIN DU RÉGIME FRANÇAIS

Les études détaillées sur la société de la Nouvelle-France au 18e siècle font encore défaut. Cette lacune, selon l'historien Jacques Mathieu, tient à la fois à la perception des observateurs de l'époque et au caractère récent de ce type de préoccupations.

Chose certaine, on s'entend pour constater la faiblesse numérique de la population. Entre 1700 et 1750, le rythme d'accroissement de la population demeure élevé, puisque le Canada passe
de 18 000 habitants à un peu plus de 50 000. Mais le mouvement
migratoire est à ce point faible que le renouvellement de la
population se fait à 95% par des gens nés dans la colonie. Inévitablement donc, il se produit une canadianisation de la société.

La société canadienne à la fin du Régime français n'en est
pas une stratifiée en ordres juridiques comme en France. Bien
sûr, on y retrouve un haut clergé, quelques nobles, des bourgeois
et des gens du peuple. Mais les nobles doivent travailler comme
les roturiers et ne possèdent pas nécessairement de seigneuries.
Ceux qu'on pourrait appeler les bourgeois cumulent plusieurs
fonctions dans divers domaines. Et la population en général ne
s'identifie pas par le titre ou le rang, mais par la fonction ou l'occupation. L'organisation économique de la Nouvelle-France a
introduit de nouvelles formes de partage des revenus. Au milieu
du 18e siècle, la société canadienne apparaît plus dynamique et
plus égalitariste que celle de la mère patrie.

Au sein de cette société, on note un certain nombre de
composantes qui ont leurs caractéristiques propres. Cependant,
les cloisons entre les catégories professionnelles sont fort peu
étanches, alors que des individus se retrouvent parfois dans
l'administration civile ou militaire et dans les affaires, en plus
d'être seigneurs. Les administrateurs et les fonctionnaires
forment plus de 5% de la population urbaine active dans une
structure hiérarchisée allant de l'intendant au bourreau. Les
revenus des fonctionnaires civils se comparent avantageuse-
ment à ceux que procure l'exercice d'autres fonctions. Dans la
catégorie des commerçants et des négociants, se recrutent les
gens les plus riches de la colonie. Les grands commerçants, qui
assurent l'approvisionnement en produits manufacturés, tou-

chent des fortunes allant de 25 000 à 300 000 livres. À un autre palier, les marchands, les petits armateurs qui ont organisé le cabotage entre Louisbourg, Québec et Montréal, et les marchands-équipeurs de Montréal qui tiennent la traite des fourrures entre leurs mains laissent à leur décès un héritage moyen d'environ 10 000 livres. Mais la rareté des capitaux, la faiblesse générale de l'infrastructure économique et un régime «anti-bourgeois» de partage des biens, ajoutés à la dépendance envers l'État, imposent les plus grandes limites à l'ascension des hommes d'affaires de la Nouvelle-France. Le groupe le plus nombreux est formé de petits commerçants, de voyageurs et de coureurs de bois, auxquels il faut ajouter les pêcheurs de la côte atlantique et les coureurs de côte. C'est au sein de ce groupe que se créent petit à petit les traits durables de la mentalité canadienne.

Les gens de métier — charpentiers, menuisiers, maçons, navigateurs, charretiers, boulangers et bouchers surtout — demeurent peu nombreux (environ 2000 en 1760) et procurent les services essentiels à un pays en voie de développement. Par leurs revenus et par les exigences de leur travail, les agriculteurs, appelés aussi habitants, se rapprochent des gens de métier, même s'ils montrent plus de stabilité. Quelque 75% de la population tire ses moyens de subsistance de l'agriculture. S'il ressemble à son homologue français par la nature de son travail, l'agriculteur en diffère passablement par les conditions de vie et les techniques. Il pratique une culture extensive et met en pâturage des zones défrichées par la coupe du bois de chauffage et de charpente. Il mesure le rendement de sa terre à la totalité de ses récoltes plus qu'au rapport entre la production et la semence.

Les militaires, eux, se rencontrent dans tous les secteurs d'activité. Groupés autour de la personne du gouverneur, ils cherchent les décorations et le prestige. Aux quelque 1500 hommes des troupes régulières en poste dans la colonie en période de paix, s'ajoutent à l'occasion des conflits les troupes françaises de passage et les miliciens. Et, dans l'ensemble, ces militaires ne vivent pas très différemment des civils. Malgré des mésententes internes, le clergé bénéficie de la considération de la population. Environ 75 prêtres desservent une centaine de paroisses. Autant de réguliers s'occupent de leur maison dans la colonie et des missions. Et environ 200 religieuses, réparties dans huit établissements, assurent les principaux services sociaux. Enfin, les Amérindiens, pour leur part, en partie intégrés à l'économie des Européens avec la perte de leur système traditionnel d'échanges, arrivent tout de même à maintenir une originalité culturelle.

Bref, cette société coloniale présente des caractères particuliers, inspirés du Français et de l'Amérindien. Le petit nombre d'habitants et les exigences du milieu — éloignement de la métropole, nature et localisation des ressources, conditions climatiques, attitudes et comportement des Amérindiens — exercent sur elle une influence majeure. L'absence d'ordres juridiquement constitués ouvre la porte à une stratification sociale moins rigide qu'en Europe. La faiblesse numérique de la population joue en faveur de l'initiative personnelle. Elle permet le cumul des fonctions et facilite l'ascension sociale. Toutefois, elle n'incite pas l'homme de métier à se perfectionner, car elle maintient les salaires à un niveau élevé. De plus, il s'est opéré au fil du temps une différenciation prononcée entre Français et Canadiens, qui repose finalement sur une dualité des valeurs et des aspirations. Et ce, peu importe la catégorie professionnelle. Pour le Canadien, l'égalité l'emporte sur la hiérarchie, les impératifs du milieu sur les problèmes de morale et de mentalité. Et si la ville a préservé pendant un temps une certaine tradition culturelle française, c'est à la campagne, à travers l'habitation, l'habillement, l'alimentation, l'outillage et les conditions de vie, que la canadianisation des mœurs s'est fait sentir le plus rapidement.

LA CONQUÊTE BRITANNIQUE

À plusieurs reprises, des coalitions anglo-américaines avaient attaqué la Nouvelle-France. La stratégie était toujours la même: une armada remontait le Saint-Laurent pour venir assiéger Québec, tandis que des troupes et des milices empruntaient la route du lac Champlain et de la Richelieu pour attaquer Montréal. Chaque fois les Canadiens avaient résisté, servis souvent par la chance et le manque de cohésion et de détermination des assiégeants.

Dans les années 1750, un conflit s'amorce dans la vallée de l'Ohio, territoire revendiqué par l'Angleterre et la France et situé entre les Grands Lacs et les Alleghanys. Les Virginiens veulent y installer leur surplus de population, tandis que les Français considèrent cette vallée comme un chaînon vital entre le Canada et la Louisiane. Les Américains attaquent sur trois fronts en 1755, mais l'armée du général Braddock est battue par une bande de Canadiens et d'Amérindiens. Les Américains venaient de perdre une bataille, non la guerre; car celle-ci n'allait commencer qu'en 1756. En effet, le 16 juin 1756, l'Angleterre et la France s'affrontaient de nouveau en Europe, et partant en Amérique.

Au début, les Français remportent coup sur coup une série de victoires éblouissantes. En 1756, ils s'emparent du fort Oswego situé au sud du lac Ontario; en 1757, ils enlèvent le fort William-Henry sur le lac Saint-Sacrement; en 1757, Montcalm arrête Abercromby à Carillon.

Une fois de plus, la Nouvelle-France triomphe, mais elle a un besoin urgent de renforts. Cependant, la France entend avant tout gagner la guerre en Europe, non en Amérique. William Pitt, le premier ministre anglais, adopte la stratégie contraire: pendant que la Prusse retiendra la France en Europe, l'Angleterre enverra des troupes en Amérique. C'est le commencement de la fin. En juillet 1758, Louisbourg, à l'est, considéré comme la porte d'entrée du Saint-Laurent, tombe aux mains des Anglais. Pendant ce temps, à l'ouest, Anglais et Américains attaquent et s'emparent du fort Frontenac. L'année suivante, l'armada de Saunders remonte le Saint-Laurent et Wolfe prend Québec. Refoulés dans Montréal, les Français capitulent le 8 septembre 1760.

Les armées ont mis bas les armes, mais il n'est pas sûr que la Nouvelle-France demeurera aux mains des Anglais, car la guerre n'est pas terminée en Europe. Pendant que se poursuit l'occupation militaire de la Nouvelle-France et que le général Jeffery Amherst, par son «placard» du 22 septembre 1760, procède à l'organisation d'un régime administratif provisoire, l'Angleterre hésite entre la possession du Canada et celle de la Guadeloupe, île à sucre et port d'escale. Les diplomates anglais optent en faveur du Canada. Par le traité de Paris, signé le 10 février 1763, la France cède à l'Angleterre le Canada, l'Acadie et la rive gauche du Mississippi. La France ne conserve que Saint-Pierre et Miquelon et un droit de pêche sur les côtes de Terre-Neuve. Les Canadiens ont dix-huit mois pour quitter le pays s'ils le désirent. Ceux qui demeurent ont le droit de pratiquer leur religion, «en tant que le permettent les lois de la Grande-Bretagne».

1763-1867
D'un régime à l'autre

LE GOUVERNEMENT DE QUÉBEC, 1763-1791

Le traité de Paris avait sanctionné la victoire militaire de la coalition anglo-américaine. En octobre 1763, une proclamation du roi George III révèle les intentions du conquérant: l'Angleterre démembre la Nouvelle-France et installe de nouvelles structures administratives. Désormais Terre-Neuve, Anticosti, le Labrador et les îles de la Madeleine forment une entité administrative appelée gouvernement de Terre-Neuve. Le gouvernement de la Nouvelle-Écosse, qui inclut l'île Saint-Jean et l'île du Cap Breton, ressuscite l'ancienne «Cadie» française du 17e siècle et noyaute le pourtour sud du golfe en une seule colonie. La vallée de l'Ohio, théâtre des premiers combats en 1754, et les Grands Lacs deviennent un territoire amérindien administré directement par la métropole. Quant au Canada, il forme à lui seul un gouvernement. Ses frontières décrivent un quadrilatère s'étendant sur la rive nord de la rivière Saint-Jean au lac Nipissing, «traversant de ce dernier point le fleuve Saint-Laurent et le lac Champlain par 45 de latitude nord pour longer les terres hautes qui séparent les rivières qui se déversent dans le dit fleuve Saint-Laurent de celles qui se jettent dans la mer, s'étendre ensuite le long de la côte de la baie des Chaleurs et de la côte du golfe Saint-Laurent jusqu'au cap Rozières, puis traverser de là l'embouchure du fleuve Saint-Laurent en passant par l'extrémité ouest de l'île d'Anticosti et se terminer ensuite à la dite rivière Saint-Jean».

L'intérieur du continent devient une vaste «réserve» amérindienne. Par une réglementation administrative et la présence de l'armée dans les postes de traite, la métropole assurera son contrôle sur les relations avec les Amérindiens.

Cette proclamation révèle les conceptions coloniales de l'Angleterre qui, ayant doublé son domaine en Amérique, se préoccupe d'intégrer les Amérindiens, de renforcer son contrôle commercial, fiscal et politique sur ses colonies américaines, d'assurer la défense militaire et de favoriser le peuplement et le commerce. Londres entend modeler toutes ses colonies, quelles que soient leur histoire, leur géographie et leur économie, sur un type idéal: la colonie de peuplement peu étendue qui s'adonne à l'agriculture ou à la production d'une denrée d'exportation. Ce type idéal répond aux aspirations des métropolitains désireux de trouver des marchés pour leurs produits ouvrés et les denrées coloniales à la mode: sucre, thé, café, chocolat, tabac. La proclamation royale instaure aussi des institutions politiques conformes à la tradition britannique. Comme sous le régime français, le gouverneur de Québec représente le roi, mais il joue un rôle administratif beaucoup plus important puisqu'il remplace l'intendant. Ses instructions précisent qu'il devra «prescrire les règles et règlements qui paraîtront nécessaires pour la paix, le bon ordre et le bon gouvernement de notre dite province, mais avoir soin toutefois de ne sanctionner aucune mesure qui pourrait en quelque façon que ce soit porter atteinte à la vie, à la sûreté corporelle ou à la liberté du sujet, ou qui aurait pour effet l'imposition de droits et de taxes». Cependant, le gouverneur doit suivre l'avis de son conseil. Sous le régime anglais, le rôle du Conseil est en effet revalorisé; il n'est pas, comme le Conseil souverain de la Nouvelle-France, une simple cour de justice. «Il comprend les lieutenants-gouverneurs de Montréal et de Trois-Rivières, le juge en chef de la province, l'inspecteur des douanes et huit autres notables.» La proclamation royale ne crée pas de chambre d'assemblée, mais elle autorise le gouvernement à convoquer une «assemblée des francs tenanciers» dès que l'état de la colonie le permettra.

Sur le plan judiciaire, la proclamation laisse au gouverneur le soin de créer un système de cours de justice. Elle décrète cependant qu'au civil comme au criminel, on jugera suivant les lois anglaises. C'est James Murray, en 1764, qui établit les premières institutions judiciaires: une Cour supérieure, appelée Cour du banc du roi, qui juge au civil et au criminel; une Cour d'assises et une Cour de plaids communs. On peut toujours en appeler en dernière instance au gouverneur en conseil.

La politique religieuse reflète l'intolérance de l'époque. Les lois britanniques «n'admettent absolument pas de hiérarchie papale dans aucune possession appartenant à la couronne de la Grande-Bretagne». Elles ne permettent que l'*exercice* de la religion catholique. Aucun catholique ne peut aspirer à de hautes fonctions administratives, car les serviteurs de la Couronne doivent prêter le serment du Test qui nie la transsubstantiation dans l'Eucharistie et l'autorité du pape.

En 1763, l'Angleterre entend donc en quelque sorte standardiser ses colonies, les modeler sur un concept unique. Cependant, les normes administratives de George III ne conviennent aucunement au Canada. En effet, réduire le Canada à la vallée laurentienne, c'est le détruire, car le commerce des fourrures — le secteur le plus dynamique de l'économie canadienne — implique le rattachement de Montréal au réservoir pelletier du Nord et du Nord-Ouest. Instaurer les lois civiles anglaises, c'est abattre le régime seigneurial et, d'une façon plus large, miner le fondement de la société canadienne-française. Ne pas reconnaître l'autorité du pape, c'est rendre impossible la nomination d'un évêque — l'évêque de Québec était mort en 1760 — et partant tarir la source de recrutement sacerdotal. Exiger le serment du Test, c'est exclure les Canadiens de l'administration et les soumettre, en pratique, à l'arbitraire d'une minorité protestante et anglophone. La Proclamation de 1763 se révèle donc dans les faits un carcan insupportable aux traiteurs soumis à une réglementation impériale, une politique assimilatrice inacceptable pour les Canadiens.

Des rajustements s'imposent, dont les premiers gouverneurs, James Murray et Guy Carleton, se font les défenseurs. Prenant appui sur les élites de l'époque, le clergé et la noblesse, ces gouverneurs demandent à Londres d'adapter sa politique coloniale aux besoins d'une société catholique et française dont les assises économiques reposent sur la traite des fourrures à l'échelon continental. L'Angleterre accepte sans trop de difficultés de modifier sa politique, car elle sent le besoin de consolider son emprise sur le Canada afin d'être en mesure de mieux résister à la poussée indépendantiste des colonies du Sud. Elle octroie donc, en 1774, une constitution connue sous le nom d'Acte de Québec, que le journaliste Henri Bourassa aimera qualifier de «charte des Canadiens français». La nouvelle loi annule la Proclamation royale de 1763 et inaugure une politique plus réaliste envers les Canadiens. Ainsi, les frontières canadiennes s'étendront du Labrador à l'extrémité des Grands Lacs et engloberont la région comprise entre l'Ohio et le Mississippi.

L'extension des frontières n'est pas un changement d'objectif mais de stratégie: la reconstitution partielle de l'ancien empire français en Amérique vise à assurer l'autorité de la Couronne britannique à l'intérieur du continent face aux Américains rebelles et aux Amérindiens indisciplinés. Elle a une conséquence indirecte: le renforcement de l'économie canadienne par l'annexion d'un vaste territoire pelletier. Si l'Acte de Québec ne change que peu de chose aux rouages administratifs, il ouvre les portes du fonctionnarisme aux catholiques en abolissant le serment du Test; il n'exige qu'un serment de fidélité. Il introduit des réformes profondes sur le plan religieux et civil: les lois civiles françaises sont remises en vigueur, les Canadiens jouissent «du libre exercice de la religion de l'Église de Rome sous la suprématie du Roi», les curés sont autorisés à percevoir la dîme.

La constitution de 1774 suscite de profonds remous en Amérique. Elle permet aux Canadiens de s'intégrer dans l'Empire, mais elle soulève, par contre, l'ire des colonies du Sud. Les «Bostonnais» voient d'un mauvais œil l'Angleterre ressusciter en partie une Nouvelle-France catholique axée sur le bassin des Grands Lacs et la vallée de l'Ohio. Ils trouvent là une autre raison pour se révolter contre la métropole. Dans leur tentative de s'emparer du Canada en 1775, ils subissent un échec; mais ils ont la consolation d'obtenir la vallée de l'Ohio lors du traité de Versailles qui, en 1783, met fin à la guerre anglo-américaine.

Les conséquences de la Conquête sont évaluées diversement par les historiens québécois. Considérée dans une optique nationale, elle marque une brisure dans l'évolution historique du Canada: elle fait basculer l'Amérique du Nord dans l'orbite anglaise, elle donne le pouvoir à un groupe de fonctionnaires et de commerçants protestants et anglophones qui vont œuvrer au triomphe de leur idéologie, elle réduit les Canadiens à n'être que des citoyens de seconde zone en les éliminant du pouvoir et du commerce. D'autres historiens insistent plutôt sur le fait que l'ensemble des structures économiques du Canada demeure fondamentalement le même.

Sous l'impulsion des commerçants montréalais, l'épopée

de la fourrure continue. Montréal demeure le grand centre de la fourrure jusque vers 1821. Les Montréalais rivalisent d'endurance et de ruse avec leurs rivaux traditionnels: les Anglais de la baie d'Hudson et les Américains d'Albany. Ils groupent leurs capitaux et leurs énergies dans la Compagnie du Nord-Ouest dont les traiteurs se répandent aux quatre coins du réservoir pelletier. Ce sont eux qui, de 1763 à 1774, réclament avec insistance l'expansion territoriale et le retour au Canada de la vallée de l'Ohio et de la région des Grands Lacs.

Le secteur agricole connaît, lui aussi, des progrès marqués, grâce à l'accroissement naturel de la population: chaque année, la population augmente à un taux de 2,7%. Les vieilles paroisses débordent. Des colons s'enfoncent dans la forêt. C'est la période où l'on met en valeur les seigneuries concédées sous le Régime français, mais faiblement peuplées. Les terres neuves donnent un rendement élevé; chaque année, on produit un excédent d'environ 500 000 minots de blé qu'on s'efforce de vendre aux Antilles. Ces exportations rapportent de beaux écus aux habitants, qui peuvent acheter des toiles anglaises et du rhum antillais. À la fin du siècle, les exportations de blé ont à peu près atteint la valeur des exportations de fourrures.

Les structures sociales ne changent guère non plus au lendemain de la Conquête. De fait, à court terme, ce sont les seigneurs qui sont les plus durement frappés. Éliminés du commerce des fourrures par les commerçants anglais, de même que des postes administratifs et militaires par la noblesse britannique, la centaine de seigneurs et de co-seigneurs demeurés au pays en sont réduits à se replier sur leur terre et à vivre de leur exploitation. Les revenus qu'ils en retirent suffisent à peine aux besoins de leur famille. Force leur est, pour maintenir leur niveau de vie et renforcer les privilèges attachés à leur statut, de se concilier le conquérant qui se les attache en leur donnant des sièges de conseillers, des postes dans la milice et diverses autres faveurs.

L'Angleterre avait espéré peupler rapidement le Canada, mais ses espoirs ne se réalisent pas. À cause de son climat, de son peuplement francophone, de ses lois civiles françaises, de ses faibles possibilités économiques — le Canada tarde à se tailler une place sur les marchés américains et antillais déjà occupés par les coloniaux du Sud — le Canada n'exerce que peu d'attraits sur les Britanniques. Seuls quelques commerçants émigrent et s'établissent dans les villes. Ils spéculent sur la monnaie de carte, s'intéressent chaque jour davantage à la traite, trafiquent les seigneuries et mettent la main sur le commerce d'importation et d'exportation. Conscients d'être un levain dans la société, ils aspirent à jouer un rôle politique à la mesure de leurs activités économiques. Ils réclament une chambre d'assemblée qui leur permettrait de faire des lois conformes à leurs intérêts.

Ces commerçants qui veulent créer sur les bords du Saint-Laurent un empire commercial se heurtent, dans leurs aspirations, au clergé, à la noblesse et aux gouverneurs. Ces derniers se sentent à l'aise dans la société canadienne régie par les valeurs monarchiques et hiérarchisée par le système seigneurial. Ils ont intérêt à renforcer l'emprise des élites traditionnelles pour freiner la montée des commerçants et s'assurer la sympathie des Canadiens. La coalition des gouverneurs et des seigneurs retarde longtemps l'établissement d'une chambre d'assemblée. N'est-ce pas sur leurs instances que Londres refuse, en 1774, d'instaurer le parlementarisme?

La guerre d'indépendance américaine porte un dur coup à la coalition des élites. Elle concourt d'abord à nourrir la bourgeoisie en accroissant le champ et le volume de ses activités économiques. Elle révèle le déclin de la noblesse, qui ne peut entraîner la masse des habitants à prendre les armes contre les rebelles américains. Elle introduit au Canada un groupe de Loyalistes — Américains qui laissent les États-Unis afin de demeurer loyaux au roi et à l'empire — qui réclament le système parlementaire et les lois civiles anglaises. Le gouvernement anglais ne peut rester sourd à l'appel des Loyalistes. Il doit au plus tôt trouver un compromis entre les aspirations des Canadiens et celles de ses loyaux sujets.

LE BAS-CANADA, 1791-1841

Le compromis auquel arrive l'Angleterre, en 1791, est passé à l'histoire sous le nom d'Acte constitutionnel. Cette loi n'abolit pas, mais complète la charte de 1774. Elle divise le Canada en deux provinces, le Bas-Canada et le Haut-Canada. Le Haut-Canada, d'où va naître l'Ontario actuel, est situé à l'ouest de la rivière Outaouais. Il a accueilli les Loyalistes et les immigrants anglo-saxons qui avaient le loisir de créer sur les bords du lac Ontario une nouvelle Angleterre. Le Bas-Canada demeure la zone de peuplement français régie par la coutume de Paris.

Dans les deux provinces, la loi de 1791 crée des institutions politiques identiques: au gouverneur et au conseil législatif déjà existants, elle ajoute une chambre d'assemblée qui possède, conjointement avec le conseil législatif, le pouvoir d'adopter des lois pour la paix, le bon ordre et la saine administration du pays. Une ordonnance spéciale, en 1792, complète cette loi en établissant un conseil exécutif, nommé par le roi. Ce pouvoir exécutif cependant n'est pas responsable devant les députés, il n'a de compte à rendre qu'au gouverneur et ce dernier n'est responsable que devant le gouvernement impérial. La nouvelle constitution se trouve donc viciée à la base puisqu'elle n'offre aucune possibilité de régler les conflits qui pourraient survenir entre la chambre d'assemblée et l'exécutif. La loi de 1791 introduit le parlementarisme dans le Bas-Canada, non la démocratie.

Cette loi de 1791 marque quand même une étape importante. Elle crée deux pays d'ethnies, de religions et de langues différentes. Elle amorce un profond bouleversement social en faisant le censitaire l'égal du seigneur: ce dernier devrait pour siéger à la Chambre obtenir le suffrage de ses censitaires. Elle mécontente la bourgeoisie montréalaise qui s'oppose vivement au sectionnement de la vallée laurentienne; dans l'esprit des Montréalais, l'espace politique doit coïncider avec l'esprit économique. Tronçonner le pays sur le plan politique, c'est saper les assises économiques de Montréal qui s'appuient sur la moitié du continent nord-américain.

La province du Bas-Canada compte alors 160 000 habitants, dont 20 000 anglophones. Elle est divisée en quatre districts administratifs: Gaspé, Québec, Trois-Rivières, Montréal. La première campagne électorale a lieu en mai 1792. Il y a 50 sièges à pourvoir, soit 18 circonscriptions rurales qui ont chacune deux députés, trois circonscriptions rurales qui ont un député, deux cités qui ont quatre députés et deux bourgs dont l'un a deux députés et l'autre, un. La plupart des circonscriptions rurales calquent le cadastre seigneurial et la plupart portent des noms anglais: Cornwallis, Devon, Bedford, Huntingdon, Hertford, Leinster, etc. Il n'y a pas de parti dirigé par un leader. Il n'y a que des hommes; à peine dans les villes de Québec et de Montréal discerne-t-on quelques clans. Le vote se fait au scrutin ouvert et il n'y a qu'un bureau de scrutin par circonscription. Pour voter, il faut être majeur et posséder des biens ou des revenus équivalents à 40 shillings par an. Lors des élections de mai 1792, on élit 34 députés de langue française et 16 de langue anglaise. Parmi les élus, on compte 15 seigneurs, 18 marchands, 5 avocats, 3 notaires, 1 financier, 1 arpenteur, 2 navigateurs, 1 cultivateur. Les députés ne touchent aucune indemnité.

La première session commence le 17 décembre 1792. Les députés siègent dans une ancienne chapelle. Jean-Antoine Panet est élu orateur (président de la chambre), puis l'on discute dans quelle langue le texte officiel des lois serait rédigé. Joseph Papineau et Pierre Bédard prennent la défense du français. Mais peu après le gouvernement anglais fera savoir que les lois seraient «édictées en langue anglaise», bien qu'il pourrait y avoir une traduction française.

Les premières sessions sont calmes. Les commerçants anglais tentent de faire passer des lois favorables au commerce, notamment une loi des banqueroutes et une loi des banques, mais les Canadiens s'y opposent. Ce premier parlement n'adopte que quatre lois importantes: une loi de judicature (1794), une loi de la milice (1794), une loi de finance (1795), qui impose des douanes sur le tabac, le sucre, le café et le sel, une loi des chemins (1795-1796), qui crée un organisme ayant pouvoir d'imposer des cotisations, des corvées, des pénalités.

Les débats à la chambre d'assemblée reflètent les intérêts des groupes sociaux en processus de déstructuration et de restructuration depuis la Conquête et qui constituent alors la société bas-canadienne. Les historiens Jean-Pierre Wallot et Gilles Paquet découpent cette société du début du 19e siècle en sept groupes: (1) la noblesse bureaucratique et militaire, regroupant les gens en place d'origine britannique, préoccupés de reproduire une petite Angleterre sur les bords du Saint-Laurent; (2) la noblesse seigneuriale, en majorité canadienne et francophone, en quête de place pour maintenir ses privilèges et exercer la balance du pouvoir; (3) la grande bourgeoisie d'affaires britannique abouchée avec le crédit métropolitain et maîtresse de la vie économique; (4) les moyenne et petite bourgeoisies francophones déjà conscientes que seule une emprise sur le peuple et la chambre d'assemblée leur permettra de partager le pouvoir avec les élites; (5) les classes populaires urbaines, formées des gens des faubourgs, un groupe social encore flou que commencent à courtiser les hommes politiques; (6) les classes populaires rurales; (7) le clergé tiraillé entre les aspirations des élites et celles des classes populaires.

La constitution de 1791, grosse à long terme d'une révolution démocratique, provoque un renversement des alliances. Consciente de son infériorité numérique à la chambre d'assemblée, la grande bourgeoisie d'affaires britannique, qui jusque-là avait eu maille à partir avec les gouverneurs, s'allie aux bureaucrates et aux seigneurs pour asseoir le pouvoir politique sur la propriété et la richesse et l'exercer par le biais des conseils. Elle fonde, en 1805, le *Quebec Mercury*, une feuille politique qui va claironner ses aspirations politiques, commerciales et nationales. Peu à peu, il lui semblera qu'une réduction de la franchise électorale et l'union des deux Canadas sont les conditions indispensables à une consolidation de son pouvoir. Par contre, se sentant évincées du pouvoir par les élites, les petite et moyenne bourgeoisies se tournent vers les classes populaires urbaines et rurales, qui détiennent le pouvoir électoral, pour assurer leur emprise sur la chambre d'assemblée. Cette chambre deviendra le lieu où la nation canadienne se racontera à elle-même, où le peuple définira ses intérêts et où les petite et moyenne bourgeoisies canadiennes exerceront la souveraineté locale pour contrer les visées de leurs adversaires. De la moyenne bourgeoisie, émergent les premiers tribuns — Pierre-Stanislas Bédard, François Blanchet et Louis-Joseph Papineau — chargés de faire la jonction avec les classes populaires. Les deux premiers lancent le journal *Le Canadien* en 1806.

La question scolaire et le système de taxation suscitent les premiers affrontements entre les deux coalitions en formation et révèlent les antagonismes qui divisent la société bas-canadienne. La loi de l'Institution royale (1801), par exemple, qui crée un système d'écoles gratuites, constitue, selon l'expression même de Herman-Witsius Ryland, le secrétaire du gouverneur, «un moyen extrêmement puissant d'accroître l'influence du gouvernement exécutif et de modifier graduellement les sentiments politiques et religieux des Canadiens». Un projet de financement pour la construction de deux prisons donne lieu à un affrontement entre partisans de l'impôt foncier — qui affecte surtout les Canadiens — et partisans des droits douaniers — qui affectent surtout les marchands anglais.

Des transformations majeures dans l'économie canadienne, survenant au moment où se dessinent les premiers conflits idéologiques, contribuent à détériorer le climat politique et à accentuer les oppositions.

C'est d'abord le commerce des fourrures qui marque le pas en ce début du 19ᵉ siècle. Harcelée par les traiteurs de la Compagnie de la baie d'Hudson qui pénètrent dans l'intérieur du continent, talonnée par les traiteurs américains installés dans l'Ohio, la Compagnie du Nord-Ouest, qui groupe les intérêts montréalais, est acculée au pied du mur. La concurrence et l'expansion du réseau de traite ruinent ses bénéfices. En 1821, elle fusionne avec la Compagnie de la baie d'Hudson. Désormais le commerce des fourrures ne passe plus par Montréal, qui doit se trouver une autre vocation économique.

Le déclin du commerce des fourrures coïncide cependant avec la montée du commerce du bois. Le blocus continental de Napoléon, qui coupe l'Angleterre de ses fournisseurs traditionnels de la Baltique, oblige la métropole à venir se ravitailler au Canada. L'Outaouais devient le grand centre d'abattage du bois;

chaque année des centaines de navires anglais viennent au port de Québec chercher le bois équarri que les cajeux ont descendu sur le Saint-Laurent sous forme d'immenses radeaux, appelés cages. Les capitalistes anglais commencent à investir dans ce commerce. Afin de protéger ces investissements, l'Angleterre instaure, en 1809, un tarif préférentiel qui favorise le bois canadien sur le marché métropolitain.

Le commerce du bois appelle la mise en place d'institutions bancaires (1817) et l'amélioration des moyens de communication intérieure. De plus, comme l'a souligné l'historien Robert Tremblay, en sensibilisant les petits producteurs au fonctionnement du marché capitaliste, il crée des conditions favorables à la transformation des modes de production durant le dernier tiers du 18e siècle. Jusqu'en 1840, c'est le mode de production capitaliste qui s'implante dans le Bas-Canada: concentration des moyens de production aux mains des patrons, rémunération en salaire, regroupement de la main-d'œuvre dans des manufactures, division accrue du travail et imposition d'une discipline rigoureuse. On pave ainsi la voie à une révolution industrielle. On observe l'expansion du capitalisme dans les scieries de l'Outaouais, la construction navale à Québec, les moulins à farine dans la région de Portneuf, etc. On l'observe surtout à Montréal où, durant les années 1820, les capitalistes investissent de plus en plus, le long du canal Lachine, dans des activités de transformation.

Cette extension de la production capitaliste se traduit au plan social par l'apparition d'antagonismes entre patrons et ouvriers. Ces conflits sont d'autant plus profonds que le système traditionnel d'apprentissage, qui régissait les relations de travail, se détériore au profit des patrons. Ces derniers, par diverses mesures législatives, accroissent leur pouvoir sur la main-d'œuvre. Ainsi, ils réussissent à faire appliquer des lois anglaises, comme les *Combination Acts* de 1800, qui font relever du code criminel les activités syndicales. Ils parviennent également à faire édicter des lois ou des règlements anti-ouvriers qui interdisent la désertion des apprentis et accroissent le pouvoir des juges de paix (1802). Mais la mise en place d'un appareil de répression ne va pas de soi. Des ouvriers résistent, comme en témoignent, à Québec, la grève des chapeliers en 1815, la naissance du syndicat des imprimeurs en 1827 et, à Montréal en 1834, les revendications pour la journée de dix heures.

Ce sont là des signes avant-coureurs. Le Bas-Canada demeure une société pré-industrielle, où la plus grande partie de la population (quelque 65% en 1810) tire sa subsistance de l'agriculture. L'expansion de l'économie commerciale, en accroissant le marché intérieur, stimule le secteur agricole qui, en dépit des crises cycliques et des malaises locaux, continue de procurer une honnête aisance aux agriculteurs, au moins jusque vers 1815. Par la suite, la situation commence à se dégrader. L'instabilité des marchés, des procédés de culture qui provoquent la détérioration du sol, l'augmentation du prix des terres, voire leur rareté en raison de l'augmentation rapide de la population à partir des années 1790, autant de facteurs qui mènent à une crise agricole durant les années 1820. L'agriculteur délaisse les cotonnades pour l'étoffe du pays; il abandonne la culture du blé pour celles de la patate, du blé d'Inde, de l'avoine et du sarrasin; il cesse d'acheter la cassonade et revient au sucre d'érable. La soupe aux pois et la galette de sarrasin, des mets habituels en territoire de colonisation, sont de plus en plus servies sur les tables des vieilles paroisses.

Pendant que les Canadiens achèvent d'occuper les terres concédées en seigneurie, les Britanniques s'installent dans les Cantons. Le Bureau des terres, créé en 1792 et dominé par l'élément anglophone, a abandonné le système seigneurial au profit de celui des townships (cantons). Dans ce système, on arpente la terre en cantons d'environ 9 milles sur 12, divisés en 12 rangs subdivisés en 28 fermes de 200 acres chacune. En 1814, le Bureau érige 89 cantons, qui couvrent environ 2 202 689 acres de terre. Ces terres sont concédées ou vendues à des spéculateurs, des commerçants, des amis du régime, des groupes privilégiés. Le Bureau des terres crée donc une classe de grands propriétaires, une aristocratie foncière désireuse de tirer un profit maximum de la vente de ses terres. Plus tard, à l'habitant dépourvu de capital, l'accès des cantons sera pratiquement fermé. Seuls les pionniers américains du Vermont et du New Hampshire y connaîtront quelques succès. Utilisant les routes naturelles du lac Champlain et du lac Memphrémagog, ils sont une dizaine de mille à s'y établir entre 1794 et 1812. Ils mettent en valeur la vallée de la Saint-François, la région du lac Memphrémagog et celle de la baie Missisquoi. Ils sont rejoints par environ 5000 émigrants britanniques. Sur l'Outaouais, ce sont encore les Américains qui tracent la voie. Durant l'hiver 1802, Philemon Wright, amenant avec lui 25 hommes, 14 chevaux, 8 bœufs, 7 «sleighs» et 5 familles, remonte l'Outaouais sur une distance de 65 milles et jette les bases de la ville actuelle de Hull, ainsi nommée d'après la ville natale de Wright en Angleterre.

Ce n'est qu'en 1825, sous la pression démographique, que les Canadiens se risquent au dehors du cadre seigneurial. Cette année-là, Charles Héon s'établit dans le canton de Blandford; il sera quasiment le seul des siens pendant plus de dix ans. Tout de même, l'arrivée de Héon amorce la pénétration des Canadiens dans les Bois-Francs, région comprise entre les rivières Chaudière et Richelieu, soit le comté de Buckinghamshire. En provenance de Nicolet, Yamaska, Bécancour, les Canadiens commencent la conquête pacifique de la région.

La modernisation de l'économie, jointe aux contraintes exercées par la géographie, le lien colonial, le marché impérial, l'existence de deux cultures, constituent les paramètres qui bornent la vie politique, ce champ clos où s'affrontent deux grandes coalitions. Bien que fortement tiraillées de l'intérieur, ces coalitions tirent leur solidité d'un ensemble d'intérêts que partagent les groupes qui les constituent et qu'elles arrivent à exprimer dans un projet de société. Le Parti breton propose une société coulée dans le moule britannique et caractérisée par la domination politique d'une aristocratie de la terre ou de l'argent, par une intense activité commerciale, par un attachement inconditionnel à la royauté et au lien impérial et par une culture imprégnée de la réforme protestante. À l'opposé, le Parti canadien prône une société régie par une souveraineté locale exercée au nom des classes populaires par une moyenne et une petite bourgeoisie et arc-boutée dans l'agriculture, le commerce intérieur, la coutume de Paris, le catholicisme et le marché local. L'enjeu est de taille. La coalition victorieuse, c'est-à-dire celle qui détiendra le pouvoir politique, imposera au vaincu son projet de société. D'où une série de luttes parlementaires qui ont nom: inéligibilité des juges, question des subsides, conseil législatif électif, responsabilité ministérielle, union des deux Canadas, etc. De fait, ces luttes ne sont que les affrontements successifs d'une seule et même guerre: celle pour le pouvoir. De l'enchevêtrement des conflits et des intérêts aux divers paliers de la société naît l'incapacité des combattants à formuler d'«honorables compromis». Les deux coalitions, au mépris parfois de leurs intérêts, s'installent dans une intransigeance opiniâtre, convaincues qu'elles sont, sans que l'on sache trop pourquoi, d'être en mesure de terrasser l'adversaire, l'une en utilisant les conseils où dominent la bureaucratie, l'aristocratie et la grande bourgeoisie, et l'autre, la chambre d'assemblée où siègent les délégués du peuple. Dans ces conditions, l'État s'enlise et l'équilibre conflictuel conduit inévitablement à un affrontement armé.

La révolution éclate à l'automne 1837. Elle avait été précédée d'une longue période d'effervescence, amorcée par les Quatre-vingt-douze résolutions de 1834. Ces résolutions constituent un réquisitoire sévère, parfois violent, contre la politique coloniale de l'Angleterre. Elles dénoncent la curée des terres publiques, la partialité des juges, la mauvaise administration des gouverneurs; elles affirment le droit que possède la chambre d'assemblée de contrôler les dépenses gouvernementales; elles demandent un conseil législatif électif, le maintien du système seigneurial; elles proposent la mise en accusation du gouverneur Aylmer, la formation d'un comité de correspondance et contiennent une menace voilée d'annexion aux États-Unis. L'agitation fait place à l'effervescence quand on apprend que Londres autorise le gouverneur à puiser dans le trésor public sans consulter les députés. Durant cette période pré-révolutionnaire, les tribuns (Papineau, Chénier, O'Callaghan, Nelson) galvanisent le peuple. Les évêques cependant prennent parti contre la rébellion armée et Étienne Parent, rédacteur au journal *Le Canadien*, tente en vain de maintenir le débat sur le terrain politique.

Les antagonistes s'affrontent, en novembre 1837, à Saint-Denis et à Saint-Charles, dans la vallée de la Richelieu, puis, en décembre, à Saint-Eustache, dans le comté des Deux-Montagnes. Mal dirigés, indisciplinés, dépourvus d'armes, les insurgés sont écrasés et doivent se réfugier aux États-Unis. L'année suivante, sous la conduite de Robert Nelson, qui se coiffe du titre de président de la République bas-canadienne, les Patriotes tentent en vain de rallumer la révolution à Napierville. Colborne, à la tête de 7000 soldats réguliers et miliciens, les écrase.

Le soulèvement armé détruit les institutions politiques

existantes. L'administrateur, John Colborne, dissout la chambre d'assemblée et nomme un conseil spécial qui administre le Bas-Canada jusqu'en 1841. Pendant ce temps, la métropole s'inquiète, car des émeutes éclatent aussi dans le Haut-Canada et le mécontentement s'accentue dans les colonies du golfe. Elle nomme John George Lambton, lord Durham, un whig radical, capitaine général et gouverneur en chef de toutes les provinces britanniques de l'Amérique du Nord. Durham a mission spéciale d'enquêter et de faire rapport sur la situation. Il arrive à Québec le 27 mai 1838 et s'en retourne en novembre, avant que n'éclate la deuxième rébellion. Dans son rapport qu'il présente en décembre, Durham recommande deux mesures essentielles pour rétablir la paix: assurer une majorité anglaise et loyale et, éventuellement, angliciser les Canadiens, qui n'ont aucune chance de survivre comme ethnie dans une Amérique anglo-saxonne; établir la responsabilité ministérielle, ce qui ne signifie pas une rupture du lien impérial, mais une modification des relations entre la colonie et la métropole. Dans l'esprit de Durham, on ne pouvait rétablir l'harmonie qu'en renforçant l'influence du peuple.

Le gouvernement impérial repousse dans l'immédiat l'octroi de la responsabilité ministérielle, qui postule un élargissement de la liberté coloniale, mais il accepte l'idée de mettre les Canadiens français en état de subordination politique. Aux yeux du gouvernement de Londres, une assemblée coloniale dominée par l'élément britannique garantirait le renforcement des liens impériaux et rassurerait les investisseurs britanniques. L'Acte d'Union s'inspire largement des idées assimilatrices de Durham, qui a surtout vu dans le conflit un affrontement entre deux races et, dans la société francophone, un groupe culturel momifié qui entrave l'essor du Canada.

LE CANADA-EST, 1841-1867

Votée le 23 juillet 1840, la loi de l'Union entre en vigueur le 10 février 1841. Ce laps de temps a pour but de permettre au gouvernement d'obtenir l'assentiment des Canadiens et de mettre en place les nouvelles institutions. La loi introduit de nombreuses réformes. Les deux Canadas deviennent le Canada-Uni, administré par un seul gouvernement. On retrouve dans le Canada-Uni les institutions établies en 1791: un gouverneur responsable devant le parlement britannique, un conseil exécutif nommé par la Couronne, un conseil législatif de 24 membres, nommés à vie — ce n'est qu'en 1853 que le conseil législatif deviendra électif —, une chambre d'assemblée qui comprend 84 députés — 130 à partir de 1853 —, dont la moitié sont choisis par les électeurs du Canada-Est et l'autre moitié par les électeurs du Canada-Ouest. Canada-Est et Canada-Ouest remplacent officiellement les anciens noms de Bas-Canada et de Haut-Canada; dans la pratique cependant, l'appellation ancienne demeurera fort vivace.

La mise en place du régime de l'Union, qui fait coïncider l'espace économique et l'espace politique, réjouit la classe mercantile canadienne dont l'avenir semble reposer sur l'aménagement de l'axe laurentien. Elle suscite, cependant, la colère des Canadiens français, car plusieurs clauses de la constitution sont vexatoires. Ainsi, le Canada-Est, qui a une population plus élevée que le Canada-Ouest, a le même nombre de députés, ce qui représente un accroc au principe démocratique. La liste civile, c'est-à-dire les dépenses de l'administration, est portée à 75 000 livres par année, et elle échappe au contrôle des députés. Le Canada français doit assumer la dette de l'ancien Haut-Canada. Il convient de préciser cependant que le Haut-Canada a investi beaucoup dans un système de canaux qui favorise maintenant Montréal. L'article 41 décrète la langue anglaise la seule langue officielle du pays. C'est la première fois que, dans un texte constitutionnel, l'Angleterre proscrit le français.

De fait, les objectifs que l'Angleterre poursuit par l'Acte d'Union sont clairs: forger une majorité parlementaire britannique artificielle — en attendant que par le jeu de l'immigration elle devienne réelle —, mais susceptible d'assumer la gouverne politique dans un sens favorable à la colonisation britannique. Les Canadiens français commencent leur existence de minoritaires. Ces mesures de 1841 les blessent. Dans la région de Québec, des pétitions réclament l'annulation de la loi; certains proposent de ne pas participer à la vie politique. Quoi qu'il en soit, la réaction est si vive qu'en 1848 Londres doit reconnaître et accepter l'usage du français.

C'est Louis-Hippolyte La Fontaine qui, en fait, se révèle l'homme de la situation. Durant la rébellion, il avait élaboré sa pensée politique autour de l'idée que les partis politiques doivent trouver leur fondement non dans les «origines» mais dans les «opinions». Selon lui, la paix sociale et la prospérité allaient découler naturellement de la suppression des distinctions de race dans l'administration publique et de la libéralisation des institutions. Il ne lui répugne point de travailler avec les anglophones au sein d'une même formation politique, en autant que les règles du jeu soient les mêmes pour tous. En homme politique pragmatique, il dénonce donc vivement les éléments discriminatoires du régime de l'Union, mais invite ses compatriotes à participer à la vie politique. L'Union pourrait faciliter, croit-il, le règlement de certains problèmes économiques et la modernisation des institutions du Bas-Canada. De plus, elle crée un terreau propice à l'émergence d'un gouvernement responsable devant la chambre d'assemblée.

La Fontaine comprend que les Canadiens français n'ont pas d'autre choix que de collaborer avec les Britanniques. Dans son *Manifeste aux électeurs de Terrebonne*, il affirme qu'«il est de l'intérêt des réformistes des deux provinces de se rencontrer sur le terrain législatif, dans un esprit de paix, d'union, d'amitié et de fraternité. L'unité d'action est plus nécessaire que jamais». Cette attitude souple et réaliste permet un rapprochement entre les antagonistes et ouvre la porte à des compromis dont le résultat serait de rendre désuète la politique assimilatrice de Durham claironnée par la loi de l'Union. C'est le successeur de lord Durham, Charles Edward Poulett Thompson, lord Sydenham, qui assume la responsabilité de réaliser les objectifs de l'Acte d'Union. Le 13 février 1841, il nomme un conseil exécutif, choisit Kingston comme capitale, puis il annonce, le 19 février, la tenue d'élections générales. Les nombreuses factions qui briguent les suffrages peuvent se ramener à deux tendances: les réformistes, qui réclament que l'exécutif soit responsable devant les députés, et les tories, qui défendent la suprématie de l'exécutif sur la chambre d'Assemblée. La Fontaine voit dans la responsabilité ministérielle les «seules garanties que nous puissions avoir d'un bon gouvernement». Les réformistes remportent une éclatante victoire. À l'ouverture de la session en juin 1841, les factions réformistes du Canada-Est et du Canada-Ouest jettent les bases d'une action concertée et permanente. Les Canadiens français acceptent l'union dans l'immédiat, recherchent la collaboration avec les réformistes anglophones et appuient toute mesure visant à moderniser l'économie du Canada-Uni.

Les luttes parlementaires de 1841 à 1848 tournent autour de la responsabilité ministérielle. Les gouverneurs, appuyés par la métropole et par les tories canadiens qui veulent perpétuer les privilèges de l'*establishment*, s'efforcent d'endiguer les pressions populaires. Ces luttes tiennent une large place dans les manuels d'histoire canadiens, mais elles relèguent dans l'ombre plusieurs réformes fondamentales longtemps retardées par le blocage de la société bas-canadienne. C'est durant cette période, en effet, que l'on crée un système municipal. Certes, le conseil spécial qui avait administré le Bas-Canada de 1837 à 1841 avait adopté, en décembre 1840, une loi qui divisait le Bas-Canada en districts sous la juridiction d'un préfet nommé par le gouverneur. Cette ordonnance avait déplu à la population, car le conseil de district n'était qu'un instrument politique et administratif dans les mains du gouverneur. Ce dernier ne pouvait-il pas annuler les règlements votés par les conseils et même dissoudre les conseils suivant son bon plaisir? La loi de 1845 soustrait le conseil du district à l'influence du gouverneur et établit un système municipal démocratique. Elle crée des conseils municipaux électifs composés de sept membres; les maires sont élus par les conseillers.

L'organisation de l'enseignement public date aussi de cette période. Il y avait eu jadis plusieurs tentatives de créer un système d'écoles primaires; la plupart avaient échoué. C'est la loi de l'Instruction publique, adoptée en 1841, qui marque le début du système d'écoles primaires actuelles. Aux termes de la loi, le gouvernement subventionne des écoles communes administrées par un surintendant qui répartit les subsides entre les districts au prorata de la population d'âge scolaire. Le conseil de district crée des zones scolaires et impose une taxe scolaire dont le revenu devra égaler la subvention gouvernementale. Chaque zone scolaire élit des commissaires qui veillent à la construction et à l'entretien des écoles et engagent des instituteurs.

Sur le plan économique, la question de la voie maritime du Saint-Laurent retient l'attention des hommes d'affaires et des hommes politiques désireux de compenser une diminution de la production agricole du Canada-Est par une extension du commerce transatlantique entre le Canada-Ouest, le Middle-West américain et l'empire britannique. Aussi, afin de revaloriser le port de Montréal et d'y acheminer la production agricole du Canada-Ouest et du Nord-Ouest américain, on décide de porter à neuf pieds, soit un peu moins de trois mètres, la profondeur minimale de la voie maritime. C'est chose faite en 1849.

Par ailleurs, l'économie commerciale et industrielle continuant son expansion, la bourgeoisie commence à utiliser systématiquement le pouvoir étatique pour contenir la force ouvrière, dont l'émeute des terrassiers du canal Lachine en 1843 montre la force grandissante. Coup sur coup, la loi relative aux dommages malicieux (1841), la loi pour mieux prévenir les émeutes sur les chantiers publics (1845) et la loi sur les maîtres et serviteurs (1847) renforcent le pouvoir judiciaire, prévoient l'organisation d'un corps policier, déclarent illégales les unions ouvrières et aggravent les sanctions prévues contre ceux qui s'en prennent à la propriété privée.

Au même moment, l'Angleterre procède à une révision radicale de sa politique impériale traditionnelle basée sur le mercantilisme et sur le tarif préférentiel. Sous la poussée de l'École de Birmingham qui réclame la fin du protectionnisme, la métropole, de 1843 à 1849, abandonne graduellement le mercantilisme et inaugure une politique libre-échangiste. Elle ouvre son marché impérial aux étrangers, espérant que ceux-ci adopteront une politique tarifaire, plus conciliante à l'égard des produits manufacturés anglais. Dotée d'un équipement moderne, hautement industrialisée, l'économie anglaise ne craint pas la concurrence; elle la suscite. L'abandon du protectionnisme porte cependant un dur coup au Canada-Uni dont la prospérité repose sur la vente du blé et du bois à la métropole, car c'est le tarif qui permet aux Canadiens, défavorisés par des coûts élevés de transport, de vendre sur le marché anglais à un prix inférieur à celui du blé américain ou du bois de la Baltique. L'abandon du tarif préférentiel laisse présager une diminution des exportations canadiennes en Angleterre.

La volte-face de la politique impériale provoque de vives répercussions au Canada-Uni. D'abord l'Angleterre, en 1848, octroie la responsabilité ministérielle, qui avait été le cheval de bataille des réformistes depuis 1841 et la ligne de démarcation entre tories et réformistes. L'octroi du gouvernement responsable est le corollaire logique de l'abolition des tarifs préférentiels. L'Angleterre, qui vient d'adopter une politique commerciale défavorable à ses colonies, se doit de leur donner le pouvoir politique qui leur permettra de résoudre leurs problèmes. C'est lord Elgin, le 7 mars 1848, qui introduit la responsabilité ministérielle dans le système parlementaire canadien quand il déclare aux députés: «Messieurs, toujours disposé à écouter les avis du Parlement, je prendrai sans retard des mesures pour former un nouveau conseil exécutif.» L'octroi du gouvernement responsable suscite un réalignement des partis politiques. Des réformistes, influencés par la révolution de 1848, en France, et les courants démocratiques américains, s'orientent vers le «gritisme» ou le «rougisme», dont les principaux thèmes électoraux sont: suffrage universel, représentation suivant la population, éligibilité du conseil législatif, économie dans les dépenses gouvernementales. Les réformistes modérés s'allient aux tories, qui acceptent le fait accompli de la responsabilité ministérielle pour former le Parti libéral-conservateur (1854) qui va dominer la scène politique canadienne durant la seconde moitié du siècle. La coalition libérale-conservatrice met l'accent sur la fidélité aux institutions britanniques, l'attachement à l'empire et la collaboration avec l'entreprise privée.

Ce réalignement politique se double dans le Canada-Est d'un arrangement entre les élites. La bourgeoisie d'affaires britannique obtient le feu vert dans la direction qu'elle compte imprimer au secteur économique. Les petite et moyenne bourgeoisies canadienne-françaises se réservent la part du lion des postes politiques et administratifs. Le clergé, lui, obtient la reconnaissance de son droit à guider moralement le peuple canadien-français. Commencent alors la rapide cléricalisation de la société québécoise et l'explication d'un nouveau nationalisme centré sur la terre, la foi, la langue et la mission providentielle des Canadiens français.

De 1848 à 1854, les gouvernements qui se succèdent doivent trouver des solutions aux problèmes posés par la nouvelle politique coloniale de l'Angleterre. En 1849, les commerçants, déçus et aigris, désespérant d'être en mesure de construire une économie canadienne viable sans le support des tarifs préférentiels, publient un manifeste dans lequel ils suggèrent l'annexion du Canada aux États-Unis. Selon eux, c'est la seule solution réaliste propre à donner aux Canadiens un marché où ils pourraient vendre leurs produits agricoles et forestiers. Mais cette solution dictée par le désespoir est loin de rallier l'ensemble de la population. Elle heurte la majorité anglophone attachée sentimentalement à l'Empire et suscite l'inquiétude parmi les élites canadiennes-françaises, qui considèrent l'annexion comme le cimetière de leur culture. On s'oriente alors vers des solutions moins radicales: la diversification des activités économiques, la libre navigation sur le Saint-Laurent et la réciprocité avec les États-Unis. Le traité de réciprocité, signé en 1854 et en vigueur jusqu'en 1866, permet la libre entrée de certains produits agricoles et forestiers aux États-Unis en retour du droit pour les Américains de pêcher dans les eaux du golfe Saint-Laurent et de naviguer sur le fleuve.

Le revirement de la politique impériale suscite, vers les années 1850, une prise de conscience canadienne. Des Canadiens cessent de penser l'avenir du pays en termes d'un empire fondé sur des tarifs préférentiels, et l'entrevoient plutôt en référence à un État canadien s'appuyant sur des tarifs douaniers. Derrière cette vision politique d'un pays regroupant en un vaste marché intérieur les colonies britanniques se profilent les intérêts d'une classe émergeante: la bourgeoisie industrielle. Dans l'immédiat cependant, les commerçants montréalais, poursuivant leur rêve de contrôler le commerce de l'Ouest, se lancent dans la construction ferroviaire, convaincus qu'une liaison par train entre Montréal et Portland, un port de la côte est américaine libre de glace à l'année, relancerait la voie maritime canadienne en la mettant sur un pied d'égalité avec la voie américaine (le canal Érié).

Ces milieux d'affaires ont l'appui des hommes politiques qui accordent des chartes et des subventions. De 1850 à 1860, on investit environ 100 millions de dollars dans la construction ferroviaire. On construit alors le Grand Tronc qui réunit Sarnia, Toronto, Montréal, Lévis, Rivière-du-Loup; à partir de 1858, un embranchement du Grand Tronc relie Montréal à Portland en passant par Drummondville. En 1860, le prince de Galles vient inaugurer le pont Victoria, qui va faciliter les communications entre Montréal et le reste du continent. Pendant que les capitalistes construisent le Grand Tronc, le gouvernement canadien négocie avec Londres et les provinces maritimes pour réaliser l'Intercolonial, qui va relier Québec à Halifax. Ce chemin ne sera ouvert qu'en 1876. Dans l'esprit des Canadiens, le chemin de fer va renforcer la voie du Saint-Laurent et mettre le pays en relation avec des ports de mer ouverts à l'année longue. Les milieux d'affaires reçoivent l'appui enthousiaste des hommes politiques. Ceux-ci haussent périodiquement le tarif et augmentent la dette pour subventionner les compagnies; ils abolissent aussi, en 1854, le régime seigneurial, dont les droits de lods et ventes et autres privilèges constituent une entrave à la construction ferroviaire, à l'industrialisation et à la croissance des villes.

La construction ferroviaire suscite une activité intense, mais elle ne règle pas tous les problèmes. Le Canada-Uni, surtout le Canada-Est, qui se débat en pleine crise agricole, est aux prises avec un grave problème de surpeuplement rural qu'accentue l'arrivée massive des immigrants. Environ 40 000 Canadiens français auraient émigré aux États-Unis entre 1840 et 1850. L'Église d'abord, puis le gouvernement s'inquiètent de cette hémorragie. Au printemps 1848, à l'occasion d'une grande assemblée présidée par l'évêque de Montréal et patronnée par les hommes politiques de toutes tendances, on lance une campagne de mise en valeur des terres non défrichées. L'Église fonde des sociétés de colonisation et l'État entreprend de supprimer les obstacles qui freinent ce mouvement. Il impose une taxe sur les grandes propriétés foncières afin d'inciter les spéculateurs à vendre leurs terres, il offre des lots gratuits aux colons et surtout il entreprend la construction de grandes routes de colonisation. De 1854 à 1867, l'État construit la route de Métis au canton de Tourelle (155 km), en Gaspésie, il construit le chemin Matapédiac de Rimouski à Matapédia (136 km), il entreprend le chemin Taché (336 km), de Buckland au chemin Matapédiac; ce chemin comprend de nombreux embranchements: chemins Mailloux, Elgin, Langevin, etc. On relie la région du Lac-Saint-Jean à Québec par les chemins Sainte-Agnès et Saint-Urbain. L'effort principal est fait dans les Cantons-de-l'Est, alors que l'État améliore ou construit les chemins Gosford, Craig, Lambton, Arthabaska, Mégantic et Etchemin.

Les exhortations de l'Église et la politique de l'État diminuent le flot d'émigration vers les États-Unis, mais elles ne l'arrêtent pas. Tous les Canadiens français n'ont pas nécessairement l'étoffe d'un colon. Il faudrait, pour les retenir, des villes dotées d'une industrie manufacturière se développant à un rythme accéléré et donc capables d'absorber le surplus des populations rurales. C'est pourquoi l'on parle de plus en plus, dans les années 1850, d'une politique «canadienne», de l'établissement d'un tarif douanier qui protégerait les manufactures naissantes en éliminant la concurrence des produits anglais ou américains. «Allez aux États-Unis, vous vous apercevrez que la législation américaine protège les industries. Vous verrez qu'au Canada, nos lois favorisent les fabricants anglais et non les fabricants canadiens. Ici on ne protège que les intérêts britanniques.» L'Association pour la promotion de l'industrie, fondée en 1858, s'inspire de considérations de la sorte pour demander un relèvement du tarif. Le ministre des Finances, Alexander T. Galt, se rend à son désir en 1859. Le tarif de Galt, qui constitue en fait un manifeste d'autonomie fiscale et politique vis-à-vis de l'Angleterre, cherche à protéger les industries canadiennes et à augmenter les revenus du gouvernement. L'insistance accrue sur les tarifs témoigne de la puissance grandissante des industriels. Les années 1840 à 1870 constituent pour la région montréalaise des années de transition où s'effectue le passage de l'artisanat à la grande production mécanisée, au moyen de machines-outils, d'une plus grande division du travail et de l'utilisation d'une main-d'œuvre non qualifiée. À l'émergence d'un capitalisme industriel correspond celle d'un prolétariat urbain.

Durant la décennie 1850-1860, le Canada-Uni a tenté de s'ajuster aux conditions nouvelles issues de la fin du système mercantiliste. Il a pu amortir les contrecoups, non corriger la situation. Au cours des années 1860, il doit affronter une série de problèmes. La construction ferroviaire et l'amélioration de la voie maritime ont alourdi pour longtemps le budget. Le réseau ferroviaire n'est pas rentable: il manque de passagers et de fret. En outre, ces grands travaux n'ont pas suffi à acheminer vers Montréal la production du Canada-Ouest et du Nord-Ouest américain. New York s'affirme de plus en plus comme le grand port de l'Atlantique. Les bonnes terres du Canada-Ouest sont occupées et les fermiers réclament l'annexion des territoires de la Compagnie de la baie d'Hudson, plus à l'ouest, pour alléger le surpeuplement et relancer l'économie canadienne. La guerre civile américaine engendre des frictions entre l'Angleterre et les États-Unis, dont le Canada pourrait faire les frais: des rumeurs veulent que les États-Unis ne renouvellent pas le traité de réciprocité, d'autres plus inquiétantes encore annoncent une invasion du Canada par le jeune colosse américain. L'Angleterre envoie 15 000 hommes et l'on fortifie en hâte la frontière.

Sur le plan politique, c'est l'impasse complète. Depuis 1858, aucun gouvernement ne peut s'assurer une majorité à la chambre des députés. Cela tient au régime de l'Union qui confère au Canada-Ouest et au Canada-Est un nombre égal de représentants. La section ouest du Canada, dominée par les *clear grits* dirigés par George Brown, réclame l'annexion de l'Ouest, la représentation proportionnelle à la population, un système d'écoles non confessionnelles et favorise une politique économique qui va dans le sens des intérêts torontois. Par contre, la section est appuie la coalition libérale-conservatrice, dont le programme politique se situe à l'opposé de celui des *grits*. La section est, inférieure en nombre sur le plan démographique à la section ouest depuis 1851, ne veut pas, à son tour, d'une représentation suivant la population, ni d'une annexion de l'Ouest qui augmenterait la puissance de sa rivale. En majorité catholique, elle redoute le prosélytisme des *grits* protestants. Montréal surtout voit d'un mauvais œil Toronto accroître sa puissance financière et se poser en rivale.

C'est dans l'espoir de trouver une solution à tous ces problèmes que, le 22 juin 1864, le leader *clear grit* propose de former avec les chefs conservateurs un gouvernement de coalition. Les hommes politiques voient alors dans la création d'un État fédéral qui s'étendrait de l'Atlantique au Pacifique un remède à tous les maux. L'annexion et le peuplement de l'Ouest assureraient la rentabilité des chemins de fer, fourniraient un exutoire au surplus démographique de certaines régions rurales, constitueraient un marché intérieur susceptible de lancer l'industrie manufacturière. L'union de toutes les colonies anglaises de l'Amérique du Nord donnerait naissance à un État plus fort, plus prestigieux, qui pourrait emprunter avec plus de facilité sur les marchés financiers et assurer d'une façon plus efficace et plus économique la défense du territoire. La formule fédérale dénouerait peut-être l'impasse politique, même si elle ne pouvait pas supprimer la subordination politique des Canadiens français instaurée par l'Union. Le Canada-Est, doté d'un gouvernement particulier qui administrerait les affaires relatives à son droit civil, à sa langue, à sa religion, à son héritage culturel, accepterait au niveau fédéral la représentation suivant la population.

C'est dans cet esprit que les hommes politiques amorcent en 1864 les négociations qui aboutiront à la Confédération. Ils se rendent, en septembre, à Charlottetown rencontrer les délégués des colonies maritimes. Ils réussissent à les convaincre du réalisme de leur plan et les invitent à participer à une conférence, à Québec, en octobre. Du 10 au 28 octobre a lieu la Conférence de Québec. Les délégués de toutes les colonies y assistent, même ceux de Terre-Neuve. On élabore 72 résolutions qui constituent une première ébauche du système fédéral canadien. Durant l'année 1865, chaque législature coloniale discute des 72 résolutions. Bien des voix discordantes se font entendre. Les rouges du Québec expriment les réticences des Canadiens français qui ont pleinement conscience que le nouvel État accentuera leur infériorité numérique. Ils favorisent une fédération plus souple, où les droits provinciaux seraient plus explicites et mieux garantis.

Des jeunes nationalistes montréalais, tant libéraux que conservateurs, inquiets du sort que cette union fédérative réservera à la nationalité canadienne-française, se rangent, à l'été 1864, derrière Médéric Lanctôt et organisent une vive campagne de presse contre le projet. Ils prônent la création d'un État du Québec indépendant. La campagne dégénère à Montréal en une croisade au cours de laquelle on réclame un appel au peuple. Seule la défaite de Lanctôt, le 5 septembre 1867, dans Montréal-Est, par George-Étienne Cartier, met fin à l'agitation politique des jeunes nationalistes. Outre l'expression de ce mécontentement au Canada-Est, deux colonies, l'Île-du-Prince-Édouard et Terre-Neuve, refusent d'entrer dans la Confédération. Les trois autres, le Canada-Uni, le Nouveau-Brunswick et la Nouvelle-Écosse, envoient, en 1866, des délégués à Londres. La Conférence de Londres résume en 69 résolutions le résultat des discussions que l'on soumet durant l'hiver 1867 à la chambre des Communes impériale. Les Communes n'apportent au projet de loi que de légères modifications. La reine le sanctionne le 31 mars 1867. La Confédération entre en vigueur le 1er juillet 1867.

1867-1985
Le Québec moderne

UNE SOCIÉTÉ EN ÉCLATEMENT, 1867-1896

La loi de 1867 répartit le pouvoir politique entre une autorité centrale (Ottawa) et des autorités provinciales. En principe, chaque gouvernement est souverain dans sa sphère de compétence; en pratique, il existe des zones tampons où le pouvoir appartient souvent au palier de gouvernement qui, le premier, prend l'initiative de légiférer.

D'une certaine façon, la loi de 1867 ressuscite l'ancien Bas-Canada des années 1791 à 1841. Les frontières et les institutions politiques de l'État québécois, si on excepte la responsabilité ministérielle, coïncident avec celles du Bas-Canada. On y retrouve d'abord un lieutenant-gouverneur nommé par le gouverneur général du Canada. Le conseil exécutif comprend un procureur général, un secrétaire et registraire, un trésorier, un commissaire des terres de la Couronne, un commissaire de l'agriculture et des travaux publics, un solliciteur général. Le président du conseil législatif siège d'office dans le cabinet. Le conseil législatif comprend 24 membres nommés à vie par le lieutenant-gouverneur. Soixante-cinq députés qui représentent 65 circonscriptions électorales composent l'assemblée législative; ils sont élus pour quatre ans et doivent siéger annuellement. Les pouvoirs de l'État québécois sont bien délimités dans la loi. En règle générale, tout ce qui touche à l'organisation sociale, civile, familiale, scolaire et municipale relève de sa compétence: l'administration des terres publiques, des prisons, des hôpitaux et des asiles; les institutions municipales, la propriété et les droits civils, l'éducation, la célébration des mariages et toute matière «d'une nature purement locale ou privée». La nouveauté par rapport à la période 1791-1841 consiste surtout dans le fait que la métropole s'est dépouillée de certains pouvoirs au profit du gouvernement canadien. Ainsi, ce dernier nomme maintenant le lieutenant-gouverneur du Québec et les juges; il possède le droit de désavouer certaines lois québécoises qui iraient à l'encontre du bien commun.

L'État du Québec est un État bilingue. L'usage de la langue française ou de la langue anglaise est facultatif dans les débats parlementaires et dans les plaidoyers devant les tribunaux provinciaux. Les documents gouvernementaux officiels doivent être rédigés dans les deux langues.

Le budget de l'État québécois s'alimente à plusieurs sources: vente de terres publiques et de divers permis, droits de coupe sur les bois, taxes directes. Comme ces revenus s'annoncent insuffisants, la Constitution prévoit le versement annuel par le gouvernement central d'une somme de 70 000$ et d'un subside de 80 cents par habitant recensé en 1861.

Cet État du Québec, en 1867, est bien peu de chose à la vérité. Le gouvernement fédéral le tient solidement en laisse par le droit de désaveu et aussi par le double mandat qui permet à un député de siéger en même temps à Québec et à Ottawa. Ainsi George-Étienne Cartier, Hector-Louis Langevin, Jean-Charles Chapais et Pierre-Joseph-Olivier Chauveau siègent aux deux parlements, de sorte que l'influence du fédéral se fait sentir jusqu'à l'Assemblée législative et surtout au sein du cabinet provincial.

En somme, le Québec n'est qu'une municipalité un peu plus grande que les autres. Sa population, au recensement de 1861, atteint à peine 1 100 000 habitants, dont 75% sont francophones. Les villes sont petites et peu nombreuses: Montréal (90 323 hab.), Québec (58 319 hab.), Trois-Rivières (6000 hab.) et Sorel (4778 hab.). Les ruraux, qui représentent 85% de la population, sont répartis le long de la vallée du Saint-Laurent et dans les Cantons-de-l'Est; à peine les colons ont-ils commencé à déborder sur les plateaux au sud du Saint-Laurent et à pénétrer dans les Laurentides par les couloirs naturels que sont la Saguenay, la Saint-Maurice et l'Outaouais. Nombreuses sont les régions du Québec encore couvertes de forêts. L'habitant canadien-français pratique une agriculture de subsistance qui pourvoit aux besoins essentiels de la famille. On vit modestement, sinon pauvrement. Les terres sont petites et produisent peu. Les rendements sont nettement inférieurs à ceux de l'agriculture ontarienne. L'habitant boucle son budget en travaillant l'hiver à l'abattage du bois ou dans les scieries durant l'été. Montréal et Québec vivent du commerce. Montréal est la porte d'entrée des importations canadiennes et la porte de sortie du blé ontarien. Le port de Québec survit grâce à l'exportation du bois provenant des chantiers de la Saint-Maurice et de l'Outaouais. Le secteur manufacturier a marqué quelques progrès sous l'impulsion de la hausse des prix amorcée en 1851, de la guerre civile américaine et du tarif de Galt. La majorité des manufactures sont de petites entreprises disséminées dans la province et qui distancent à peine la production artisanale. Ce n'est qu'à Montréal que l'on rencontre certaines industries hautement mécanisées. Le long du canal Lachine, une certaine concentration industrielle apparaît: plus de 60 manufactures s'y sont implantées depuis 1840.

Le partage fiscal, qui a donné au gouvernement central les

plus grandes sources de revenus, et le sous-développement de l'économie québécoise rendent compte de la faiblesse de l'État québécois. On le voit bien à la lecture des chiffres du premier budget, présenté en février 1868. Les revenus s'élèvent à 1 535 546$, dont 915 309$ proviennent du gouvernement fédéral. Un budget aussi réduit interdit de penser à élaborer une politique de grandeur. Et, fait étonnant, le trésorier de la province réussit alors à annoncer un surplus budgétaire de 352 546$. On devine cependant que ce surplus n'a été obtenu que par des coupures draconiennes sur les dépenses essentielles, dans le but de montrer que la viabilité du Québec ne dépend pas entièrement du gouvernement fédéral.

Les faibles ressources budgétaires empêchent l'État de jouer un rôle de premier plan dans le développement de l'économie. Ce handicap ne constitue pas cependant un facteur déterminant pour comprendre les difficultés qui assaillent l'économie québécoise tout au long du 19ᵉ siècle. Dès sa création, le Québec joue de malchance. Dépourvu de charbon et de minerai de fer, le Québec n'est pas en mesure de profiter à plein de la révolution industrielle axée sur la machine à vapeur. Il est soumis, en outre, aux pressions défavorables de la conjoncture mondiale et des impératifs de la géographie nord-américaine. En 1873, le krach de la Bourse de Vienne, suivi d'une crise sévère jusqu'en 1878, inaugure une longue période de contraction de la conjoncture mondiale qui dure jusqu'en 1896. Tributaire de l'économie anglaise par son commerce extérieur et par ses importations de capitaux, l'économie québécoise encaisse de durs coups. Durant la seule crise de 1873 à 1879, trois banques et plus de 200 manufacturiers ou marchands de gros font faillite. La contraction mondiale, expression d'une surproduction ou d'une mauvaise distribution de la production, décourage les investisseurs et accroît le dumping anglais sur le marché québécois.

Mais la croissance de l'économie américaine exerce une influence encore plus déterminante que celle de la conjoncture internationale. Québec fait partie d'une vaste région d'échanges qui englobe tout le continent nord-américain. Pendant que les ruraux de la Nouvelle-Angleterre émigrent vers l'Ouest américain, les entrepreneurs mettent en valeur le charbon et le minerai de fer dans la région des Grands Lacs. La Nouvelle-Angleterre développe son secteur manufacturier. Les Américains augmentent et diversifient leur production en dépit de la contraction mondiale, car ils réussissent à baisser leurs coûts de production et partant à sauvegarder leurs bénéfices. La croissance de l'économie américaine constitue un pôle d'attraction pour la population québécoise, tant chez les habitants qui végètent sur leurs terres que chez les travailleurs urbains en quête de travail.

Aux prises avec cette récession, le Québec ne dispose que d'un seul avantage: sa main-d'œuvre à bon marché. Quand l'industrie lourde se développe dans les régions les plus favorisées de l'Amérique du Nord, l'industrie légère, axée sur l'utilisation d'une main-d'œuvre peu coûteuse et produisant pour un marché domestique protégé par de hauts tarifs, s'implante au Québec. La chaussure et le textile dominent le groupe de l'industrie légère. En 1867, Montréal comptait déjà 20 manufactures de chaussures qui employaient 5000 personnes et produisaient 200 modèles différents; à la fin du 19e siècle, la seule ville de Québec compte 3000 ouvriers de chaussure. L'industrie textile se développe à Montréal, Sherbrooke, Magog, Valleyfield, Chambly, Coaticook et Québec. Comme l'industrie de la chaussure, elle est des plus modernes. En 1867, la manufacture de toile de Sherbrooke comprend 100 métiers qui fabriquent chacun 45 verges de toile par jour. En 1889, la filature de Magog emploie 700 ouvriers, «presque toutes des filles de fermiers», selon une enquête de l'époque. Favorisée par sa situation géographique, Montréal prend des allures de ville tentaculaire. Le port, les abattoirs, les conserveries, les raffineries de sucre, les manufactures de textile attirent les ruraux. Cependant le rythme d'expansion de Montréal n'a rien de comparable encore à celui des grandes villes américaines.

Il est naturel, dans ces conditions, que l'Église et l'État orientent les Québécois vers le défrichement des terres, la solution traditionnelle aux tensions démographiques. Que peut-on faire d'autre? L'État, avec ses faibles moyens budgétaires, tente de rendre accessibles aux colons de nouveaux territoires agricoles. Il poursuit sa politique de chemins de colonisation commencée durant les années 1850. Il se lance, durant les années 1870, dans une grande politique de construction ferroviaire adaptée aux besoins du colon, car le tracé des réseaux ferroviaires vingt ans plus tôt avait été conçu en fonction du commerce impérial et de la défense militaire. Les résultats sont impressionnants. En 1901, on compte 5600 km de voie ferrée, alors qu'il ne s'en trouvait que 910 en 1867. L'État reconnaît l'existence légale d'environ 80 compagnies. Il assume, au coût d'environ 14 millions de dollars, la construction du fameux Québec Montréal Ottawa et Occidental, qui réunit Hull à Québec en passant par Saint-Jérôme, Montréal et Trois-Rivières. Inauguré en janvier 1879, ce circuit non rentable alourdira longtemps le budget provincial. L'État le vend à l'entreprise privée en 1882. Les autres grandes réalisations de l'époque sont le Chemin de fer du Lac-Saint-Jean, d'une longueur de 386 km, inauguré en 1887, le Chemin de fer de la Baie-des-Chaleurs et le Québec Central, qui relie Lévis à Sherbrooke. L'État stimule la construction ferroviaire en accordant aux entreprises une subvention de 2500$ du mille (1553$ du km).

Dirigés par des prêtres colonisateurs et soutenus par des sociétés de colonisation patronnées par le clergé, les colons s'enfoncent dans la forêt et conquièrent de nouvelles terres. Au recensement de 1861, les terres occupées couvrent 10,3 millions d'acres; 14,4 millions en 1901. Le Lac-Saint-Jean demeure la terre de prédilection des colons, qui ont commencé à y affluer pendant les années 1850 sous la conduite du curé Nicolas-Tolentin Hébert. Le recensement de 1901 dénombre une population de 38 000 habitants pour cette région. À partir de 1868, le curé Antoine Labelle, titulaire de la cure de Saint-Jérôme, entreprend la colonisation des Laurentides, au nord-ouest de Montréal. De 1872 à 1886, les colons mettent en valeur les vallées de la rivière du Nord, de la rivière Rouge et de la Lièvre. Plus à l'ouest, les Oblats découvrent les possibilités du Témiscamingue et répandent la bonne nouvelle dans un mémoire retentissant en 1884. Dans les régions de colonisation plus anciennes, l'Outaouais, les Cantons-de-l'Est, le Bas-du-Fleuve et la Gaspésie, la population augmente.

Cette poussée vers les terres neuves n'est qu'un aspect de la migration des populations rurales et urbaines. Nombre de Québécois, attirés par les hauts salaires et la vie «facile» des villes, émigrent aux États-Unis. Ils s'engagent dans les manufactures de la Nouvelle-Angleterre qui offrent du travail à chacun des membres d'une famille. On évalue à 500 000 environ le nombre de Québécois partis vers les États-Unis entre 1851 et 1901. Toutes les régions du Québec contribuent à cet exode. Dans certaines localités, cela tient de l'hémorragie: le tiers des habitants de Saint-Cuthbert, par exemple, partent en bloc.

L'ampleur de l'émigration est liée à la crise dans laquelle se débat l'agriculture québécoise depuis les années 1820. Pour survivre, l'agriculteur doit améliorer ses méthodes, modifier sa production et ne pas craindre d'utiliser les nouveaux instruments aratoires. En 1865, un périodique agricole conseille à ses lecteurs: «Imitons les industriels qui économisent considérablement en remplaçant les bras par des machines. Voyez comme tous les corps de métiers progressent sous ce rapport. Aujourd'hui, on a des moulins pour tout. Que les cultivateurs en fassent autant!» À l'ère de la révolution industrielle et au moment où l'Ouest canadien se spécialise dans la production céréalière, l'agriculture de subsistance axée sur la satisfaction des besoins familiaux n'est plus de mise. L'agriculteur doit produire pour le marché urbain domestique ou le marché anglais, s'il veut obtenir l'argent qui lui permet de se procurer des produits manufacturés.

On assiste donc durant le dernier quart de siècle à une réorientation de l'agriculture québécoise. L'habitant délaisse définitivement la culture du blé pour s'adonner à l'industrie laitière. Il s'initie à la culture du fourrage vert. Il apprend à nourrir un troupeau de vaches laitières. Il devient «un patron» qui vend son lait à une fabrique de beurre ou de fromage. Certes, il lui faut du temps, car toutes ces nouveautés l'inquiètent. L'État paie des conférenciers agricoles, subventionne des sociétés d'industrie laitière, des écoles d'agriculture et des journaux pour vaincre la résistance paysanne. Et les résultats ne se font guère attendre. On compte environ 700 fabriques de rang, le plus souvent malpropres, mal équipées et produisant un beurre de qualité médiocre. Néanmoins, la concurrence des producteurs étrangers sur le marché anglais force l'habitant et le fabricant à soigner la qualité et l'emballage des produits. Les bas prix payés entre 1892 et 1895 par les importateurs anglais pour les produits de seconde qualité suscitent une salutaire prise de conscience. L'habitant se met à soigner la propreté de ses contenants, le fabricant se procure des réfrigérateurs et les sociétés agricoles demandent au gouvernement fédéral de faire installer des compartiments frigorifiques dans les navires océaniques et les wagons de chemin de fer. Le succès de l'industrie laitière est ainsi désormais assuré.

Si, pendant cette période, l'agriculteur apprend à réorienter son travail, l'ouvrier, lui, apprend à vivre en ville. C'est un phénomène nouveau, partout en Occident, que cet entassement rapide d'une population «sous le couvert de la fumée des usines». Et il faut invariablement compter au moins 30 ans, quand ce n'est pas 50, avant que cette population arrive à se donner les services nécessaires à son mieux-être. À Montréal, durant les années 1870, la première tâche des services municipaux de santé sera la cueillette des cadavres d'animaux et des autres déchets pouvant compromettre la santé des citoyens. Mais il faudra attendre jusqu'en 1914 pour qu'un véritable service municipal de voirie, avec cueillette régulière des déchets, soit organisé. La physionomie des villes change. Ainsi, dans le vieux Montréal, les maisons du régime français cèdent la place à des édifices commerciaux de plusieurs étages. Les historiens René Durocher, Paul-André Linteau et Jean-Claude Robert constatent que ces changements se produisent de façon anarchique, sans planification de la part des autorités municipales. L'aménagement de l'espace est laissé à l'initiative des entrepreneurs privés.

Dans les villes, les conditions de travail en usine sont peu reluisantes. Dans le but de réduire leurs coûts de production et d'augmenter leurs profits, les capitalistes ont recours au travail des enfants, à l'emploi d'une main-d'œuvre féminine sous-payée, à la prolongation des heures de travail, au système parcellaire. Durant les années 1880, la semaine normale de travail en usine est de 60 heures. Dans certains secteurs de l'économie, comme les services, la semaine de travail atteint même 72 heures. Et les salaires versés varient beaucoup d'un métier à l'autre. Les abus les plus criants ne sont pas le fait de tous les patrons, mais, dans l'ensemble, les conditions de travail qui prévalent sont pénibles et l'exploitation des travailleurs prend plusieurs formes.

On comprend alors que seule une organisation syndicale forte peut amener l'amélioration des conditions d'existence des travailleurs. Le mouvement ouvrier s'était d'abord constitué à partir de syndicats isolés les uns des autres. L'heure est maintenant à l'implantation de grandes organisations syndicales. Les Chevaliers de Saint-Crispin (ou Saint-Crépin, du nom du patron des cordonniers) ont pignon sur rue à Montréal à partir de 1867. Puis, durant les années 1880, les Chevaliers du travail, également une organisation syndicale américaine, et le Congrès des métiers et du travail du Canada s'établissent au Québec. Ces unions dénoncent les semaines surchargées, les bas salaires et les conditions générales de travail faites aux ouvriers. Au besoin, elles n'hésitent pas à recourir à la grève. De 1851 à 1896, on a recensé quelque 200 grèves au Québec, dont 59 dans l'industrie manufacturière, 51 dans les transports et les services d'utilité publique et 43 dans l'industrie de la construction. À 47 reprises, les forces de l'ordre, la milice ou la police sont intervenues.

Les problèmes sociaux engendrés par l'industrialisation et l'urbanisation ont, en apparence du moins, peu de retentissement sur les luttes électorales au cours desquelles deux partis de centres se disputent le pouvoir: le Parti libéral et le Parti conservateur. Rien ne les sépare fondamentalement, si ce n'est que le Parti conservateur est dominé par une aile droite ultramontaine qui s'abreuve aux écrits de Louis Veuillot et de Pie IX et que le Parti libéral cache en son sein une aile gauche qui supporte mal l'emprise du clergé. Les deux partis sont d'accord pour améliorer les moyens de transport, moderniser l'agriculture, activer la colonisation; tous deux s'attristent de l'émigration aux États-Unis, déplorent la pénurie de capitaux et affichent un nationalisme de bon aloi. Tous deux ont une organisation identique et alimentent leur caisse électorale auprès des entrepreneurs en construction ferroviaire et des détenteurs de concessions forestières. Le favoritisme, les réseaux de parenté, la tradition cimentent la clientèle des partis. On stigmatise le traître qui a changé de camp, on récompense de mille manières les fidélités.

La politique est affaire de sentiments plutôt que d'idées. D'où l'atmosphère passionnée des campagnes électorales. Les modalités des élections se prêtent d'ailleurs à toutes sortes de violences et de fraudes. Jusqu'en 1875, la mise en nomination des candidats à main levée donne lieu à des confrontations qui souvent dégénèrent en rixes; le scrutin ouvert permet toutes les formes d'intimidation et la tenue des élections à des dates différentes dans les diverses circonscriptions donne lieu à un suspense explosif. On réussit, par la loi de 1875, à mettre de l'ordre dans les campagnes électorales. En introduisant le scrutin secret, en abolissant la mise en nomination à main levée et en fixant une date unique pour la tenue du scrutin dans toutes les circonscriptions, cette loi diminue de beaucoup l'intimidation et la violence comme tactiques électorales.

Le Parti conservateur domine la scène politique québécoise de 1867 à 1896, sauf durant le ministère Joly (1878-1879) et le ministère Mercier (1887-1891). Pierre-Joseph-Olivier Chauveau, ami de G.-É. Cartier et surintendant de l'instruction publique, forme le premier cabinet. Les conservateurs, qui s'appuient sur la finance montréalaise, le clergé catholique et la masse paysanne, ont la situation bien en mains, d'autant plus que les libéraux tardent à s'organiser. Ce n'est que vers 1873 que Henri-Gustave Joly de Lotbinière réussit à structurer le Parti libéral.

C'est à l'intérieur du Parti conservateur que se jouent les affrontements dramatiques: conservateurs modérés et conservateurs ultramontains se livrent une lutte idéologique qui sape l'unité du parti. Les ultras, qui veulent étendre le plus possible le pouvoir spirituel et temporel de l'Église, se méfient des modérés qui frayent avec les financiers et les entrepreneurs, qui mettent l'intérêt du parti au-dessus de celui de l'État, qui osent même affirmer certains droits de l'État vis-à-vis de l'Église. La publication du *Programme catholique* en avril 1871 amorce la scission du parti. Le Programme catholique affirme la priorité des droits de l'Église en ce qui concerne l'éducation, le mariage, l'érection des paroisses et la tenue des registres d'état civil. La scission devient définitive quand les ultras, scandalisés des agissements de Louis-Adélard Sénécal, le trésorier du parti, attaquent publiquement le leader du parti et premier ministre, Adolphe Chapleau. Ils lancent une brochure signée Castor et intitulée *Le Grand Homme, le Parti et le Pays*. Ils accusent Chapleau de pratiquer le culte de la personnalité et de faire passer les intérêts du parti avant ceux du pays. Lors d'une assemblée publique à Saint-Laurent, en octobre 1883, Chapleau rompt les ponts avec les ultras en prononçant un discours cinglant: «Le parti ultra comprend toutes les médiocrités ambitieuses qui ne peuvent arriver par les voies ordinaires, tous les désappointés, et un bon nombre d'hypocrites qui se prétendent religieux et conservateurs pour mieux ruiner le grand Parti conservateur... Ils n'ont du reste qu'un trait de ressemblance avec le vrai castor. Ils font leur ouvrage avec de la boue, ils détruisent les chaussées des bons moulins pour construire leurs tanières et ne sont vraiment utiles que lorsqu'on vend leur peau.»

Cette scission fait le jeu des libéraux. Ceux-ci accroissent peu à peu leur clientèle depuis le fameux discours de Wilfrid Laurier sur le libéralisme politique, prononcé en 1877 devant l'auditoire de l'Institut canadien de Québec. Laurier avait alors tenté de se concilier les bonnes grâces de l'épiscopat en désolidarisant le Parti libéral du libéralisme catholique condamné par Pie IX et en reniant la clique rouge des années 1850 qui avait osé braver Monseigneur Ignace Bourget, l'évêque de Montréal. En 1878, les libéraux avaient pris le pouvoir par accident, quand le lieutenant-gouverneur Luc Letellier de Saint-Just, un ancien ministre libéral, avait démis de ses fonctions le premier ministre conservateur Charles Boucher de Boucherville; cependant, le leader libéral Joly de Lotbinière, qui n'avait pu consolider les assises populaires de son parti lors des élections de mai 1878, doit démissionner en 1879. C'est la pendaison de Louis Riel, en novembre 1885, qui relance les libéraux. Ceux-ci avaient défendu le leader des Métis lors de son procès à Régina et les conservateurs l'avaient accusé. C'est aussi un gouvernement conservateur à Ottawa qui avait refusé la clémence. Comme certains aspects du procès de Régina révèlent des sentiments anti-canadiens-français, aux élections de 1886, on porte au pouvoir le Parti libéral de Honoré Mercier, allié avec les Castors; c'est une façon d'exprimer son mécontentement envers le cabinet conservateur d'Ottawa.

Mercier veut incarner les aspirations nationalistes des Canadiens français et ne craint pas d'affirmer que le Québec est leur État national. Il réunit à Québec, en 1887, la première conférence interprovinciale pour formuler les aspirations et les besoins des provinces. Les cinq premiers ministres qui y assistent demandent que le gouvernement fédéral verse des subsides plus élevés aux provinces, que les provinces participent à la nomination des sénateurs et que le gouvernement fédéral abandonne son droit de désavouer les lois provinciales. Mercier n'en reste pas là. Il appuie le premier ministre ontarien, Oliver Mowat, dans la croisade qu'il mène contre Ottawa à propos du droit de désaveu et des pouvoirs résiduaires.

Cette campagne allait porter des fruits. En 1896, le Conseil privé de Londres limite en pratique la juridiction du fédéral aux catégories de sujets énumérés à la section 91 de la loi de 1867. Les États provinciaux conquièrent leur autonomie juridique. Mais Mercier n'est plus là pour célébrer la victoire des provinces. Il a perdu le pouvoir en 1891, à la suite du scandale de la baie des Chaleurs, avant de mourir en 1894. Les conservateurs, déchirés en deux tendances, gouvernent depuis la chute de Mercier, grâce à l'appui des anglophones inquiets du nationalisme et de la mégalomanie des merciéristes.

LE QUÉBEC À L'HEURE DE L'AMÉRIQUE, 1897-1939

Le Québec s'enlise. Le recensement de 1891, qui a révélé une accélération du mouvement migratoire vers les États-Unis et de maigres progrès dans le secteur agricole, a suscité une profonde inquiétude parmi les élites. Le gouvernement conservateur n'en finit plus de taxer et de rogner les dépenses publiques essentielles afin d'assainir un budget qu'une politique ferroviaire aventureuse a écumé. On s'attend au pire quand, soudain, les prix dans le commerce international commencent à monter. Le monde occidental entre, en 1896, dans une phase de hausse des prix à long terme qui va servir la cause du Québec.

La hausse des prix et l'intensification de l'activité économique engendrent un climat d'euphorie. Par milliers, des immigrants européens s'installent dans l'Ouest canadien et créent une forte demande dans le secteur manufacturier, au moment même où les capitalistes anglais, à qui la hausse des prix a rendu le sourire, sont prêts à investir au Canada. Le rythme de croissance du secteur manufacturier s'accélère. De 1900 à 1910, le volume de la production manufacturière du Québec augmente de 76%, alors que la population ne s'accroît que de 21%. La production per capita augmente chaque année de 4,2%.

D'autres événements favorisent la croissance du secteur manufacturier québécois. L'électricité devient la source d'énergie à la mode. Le Québec, qui offre d'énormes possibilités en ce domaine, devient une région attractive. D'ailleurs ne commence-t-on pas à croire que la vocation du Québec serait d'être un réservoir de matières premières pour l'Amérique du Nord? Les États-Unis, qui connaissent une première pénurie de papier quand le nombre, le volume et le tirage des journaux augmentent, jettent un œil intéressé sur les ressources forestières du Québec. Ces différents facteurs expliquent l'accélération du taux de croissance du secteur manufacturier. Mais cette accélération ne marque aucune rupture avec le passé, car l'industrie légère de transformation, basée sur la protection tarifaire et la main-d'œuvre à bon marché, domine toujours. En 1910, les industries manufacturières les plus importantes sont le bois, l'équipement de chemin de fer, le textile, la chaussure, le tabac, la farine, le beurre et le fromage.

Les transformations structurelles de l'économie québécoise ne se dessinent que pendant les années 1920 et s'intensifient durant les années 1930. C'est la conséquence de la seconde révolution industrielle, basée non plus sur le fer et la vapeur, mais sur l'électricité et les métaux non ferreux, tels le cuivre, l'aluminium et le nickel. Ce n'est plus alors l'industrie légère de transformation qui constitue le secteur en expansion et le pôle de croissance, mais les industries qui exploitent les ressources naturelles. Au premier rang viennent les pâtes et papiers et l'affinage des métaux non ferreux. À l'encontre de la première révolution industrielle, la deuxième s'opère en fonction des marchés extérieurs et prend appui sur des industries qui nécessitent d'importants capitaux plutôt qu'une main-d'œuvre abondante. La physionomie de l'économie québécoise a donc changé du tout au tout depuis 1867. Si en 1920, selon les économistes Albert Faucher et Maurice Lamontagne, «l'agriculture équivaut encore à 37% de la production du Québec, les manufactures à 38%, les forêts à

15% et la construction à 4%, la situation est tout autre en 1941; les manufactures comptent pour 64%, les forêts, 11%, l'agriculture, 10%, et les mines 9%.»

Le déclin marqué de l'agriculture par rapport aux autres secteurs de production est un des aspects particuliers de la transformation de l'économie québécoise au 20ᵉ siècle. En 1960, la production de l'agriculture ne représentera plus que 5,7% de la production québécoise globale. Le nombre d'exploitations agricoles et la superficie en culture ne cessent de diminuer. On comprend cette désaffection touchant l'agriculture, car, plus souvent qu'autrement, l'indice des prix agricoles baisse et celui des coûts de production augmente. Il s'ensuit que les campagnes se dépeuplent à un rythme accéléré, si bien qu'en dépit des progrès réalisés dans le secteur manufacturier les Canadiens français continuent à émigrer aux États-Unis jusqu'en 1930.

L'industrialisation provoque au Québec les transformations sociales classiques bien connues: urbanisation, baisse du taux de natalité, hausse du niveau de vie, etc. Mais ces phénomènes présentent quand même une couleur locale. Ainsi l'urbanisation du Québec s'est effectuée à un rythme exceptionnellement rapide: les ruraux, qui formaient 60% de la population en 1901, ne sont plus que 36,6% en 1941. La plupart quittent leur ferme pour s'établir dans la région métropolitaine de Montréal. Proportionnellement à la population globale, l'agglomération montréalaise se révèle encore plus attractive que Paris. Cet essor de Montréal freine le développement des autres villes. En 1941, le réseau urbain est caractérisé par la présence d'une métropole, d'une ville moyenne (Québec: 150 000 hab.), de quatre villes de 30 000 à 40 000 habitants et d'une vingtaine de petites villes dont la population inférieure à 21 000 habitants vit du commerce régional, de l'industrie légère et des services.

L'accélération de l'industrialisation gonfle les effectifs

ouvriers; ceux-ci sont 129 000 en 1901 et 291 000 en 1931, entassés dans les quartiers populaires des villes. Depuis les années 1880, des syndicats américains, dits «internationaux», s'efforcent de les regrouper dans des unions de métiers. En 1920, ces unions comptent 32 400 membres, presque tous affiliés à la Fédération américaine du travail (AFL). Ce syndicalisme non confessionnel inquiète l'Église catholique québécoise qui, inspirée par l'encyclique *Rerum Novarum*, entreprend au début du 20ᵉ siècle de lui opposer un mouvement syndical catholique.

C'est l'intervention de Monseigneur Louis-Nazaire Bégin dans le règlement de la grève des travailleurs de la chaussure, à Québec, en 1901, qui lance le syndicalisme catholique. Des prêtres, comme l'abbé Eugène Lapointe, de Chicoutimi, en propagent l'idée. En 1921, lors du congrès de fondation de la Confédération des travailleurs catholiques du Canada, les syndicats catholiques compteraient 26 000 membres. Le syndicat catholique connaît un certain succès dans les petites entreprises et les petites villes. Mais son caractère confessionnel, son insistance sur la paix sociale, ses préoccupations plus morales que professionnelles constituent un handicap dans les grandes entreprises dominées par le capital étranger et réunissant des travailleurs d'origines et de croyances diverses. Il ne réussit pas à s'implanter solidement dans la région montréalaise, le fief des «internationaux». La lutte sans merci qu'il livre au syndicalisme neutre contribue à affaiblir tout le mouvement syndical.

Un autre phénomène nouveau touchant le marché du travail est la présence plus importante des femmes. Elles forment 19,7% de la population active en 1930, comparativement à 15,6% en 1900. Mais leur situation tarde à s'améliorer. Elles occupent généralement les emplois les moins rémunérés; en 1931, par exemple, le salaire moyen des femmes représente environ 56% de celui des hommes. On les retrouve dans la con-

fection, la chaussure, le tabac, les textiles et les services person-
nels (serveuses, coiffeuses, domestiques, femmes de peine).
Pour le gouvernement, le clergé et même les syndicats, la place
des femmes n'est pas sur le marché du travail, mais au foyer.
Aussi interviennent-ils rarement en leur faveur, toujours timide-
ment et souvent sans efficacité.

Dans ce monde de discrimination et d'inégalité, des femmes songent à s'organiser pour revendiquer leurs droits. La section montréalaise du Conseil national des femmes du Canada,
fondée en 1893 et formée surtout d'anglophones protestantes,
recrute certaines Canadiennes françaises, telle Marie Gérin-
Lajoie. Ces dernières acquièrent de l'expérience au sein d'un
semblable mouvement et organisent en 1907 la Fédération
nationale Saint-Jean-Baptiste (FNSJB), chargée de regrouper
tous les organismes concernant les femmes canadiennes-
françaises et catholiques. Dès le début, ces femmes déploient
une activité intense, surtout dans des œuvres de charité, de
bienfaisance et d'éducation. Bien que réformistes, leurs luttes
demeurent encadrées par le clergé et centrées sur la famille et le
foyer.

Ce sont les féministes anglophones qui prendront l'initiative dans les combats qui touchent à l'ordre juridique et politique. En 1913, à l'instar des «suffragettes» de Grande-Bretagne
et des États-Unis, elles fondent la Montreal Suffrage Association pour réclamer le droit de vote pour les femmes aux élections
provinciales et fédérales. Aux élections de décembre 1917, pour
augmenter le nombre de votes en faveur de la conscription, le
gouvernement fédéral accorde le droit de vote aux femmes
proches parentes de militaires ou travaillant dans l'armée. L'année suivante, une loi élargit ce droit à toutes les femmes majeures. Après les élections fédérales de 1921, les provinces, ne
voulant pas être en reste, accordent à leur tour le droit de vote aux

femmes, sauf au Québec, où le gouvernement, pressé par l'épis-copat, refuse de céder. Marie Gérin-Lajoie entreprend alors de nombreuses démarches et se rend même à Rome pour tenter de démontrer que rien dans la doctrine catholique ne s'oppose au droit de vote des femmes. Mais c'est peine perdue. De guerre lasse, Gérin-Lajoie démissionne en 1922 du Comité provincial pour le suffrage féminin. Cinq ans plus tard, une autre féministe francophone, Idola Saint-Jean, entend raviver le débat et fonde l'Alliance canadienne pour le vote des femmes au Québec. Mais les préjugés sont tenaces et il faudra attendre jusqu'en 1940, sous le gouvernement Godbout, pour que les femmes québécoises obtiennent le droit de vote aux élections provinciales.

L'industrialisation a aussi posé, d'une façon dramatique, le problème de la faiblesse économique des Canadiens français. Sans doute, le problème est-il ancien. L'organisation par le capi-talisme anglais, au début du 19ᵉ siècle, du commerce du bois avait alors vivement inquiété les élites canadiennes-françaises qui se sentaient évincées du secteur le plus dynamique de l'éco-nomie canadienne. Lord Durham, dans son célèbre rapport de 1839, avait écrit laconiquement: «La majorité des ouvriers est d'origine française, mais elle est au service du capitalisme an-glais.» D'ailleurs, les Canadiens français, tels des colonisés, avaient la réputation auprès des étrangers d'exceller surtout dans les travaux manuels, et particulièrement les métiers du bois. Ce-pendant, à partir de la seconde moitié du 19ᵉ siècle, ils effectuent une trouée dans le monde des affaires. Le Canada français a alors ses grands entrepreneurs, Louis-Adélard Sénécal et Joseph-David-Rodolphe Forget, par exemple, et des noms importants dans certains secteurs manufacturiers, comme Barsalou dans le savon, Leduc dans les scieries, Béique dans l'électricité, Boivin dans la chaussure, etc.

Au tournant du siècle, l'invasion massive des capitaux

anglais, puis américains, marque l'éviction progressive des Canadiens français du monde des grandes affaires. Ceux-ci ne peuvent plus rivaliser avec les entrepreneurs anglais ou américains qu'appuient le personnel, l'argent et la tradition du monde anglo-saxon. Et ce qui manque alors, c'est une politique nationale réaliste qui veillerait à assurer, sous une forme ou sous une autre, la participation des Canadiens français au développement de leur économie.

Sauf de rares exceptions, les Canadiens français tardent à prendre conscience du problème. Henri Bourassa, au faîte de son influence, incite ses compatriotes à s'intéresser à la petite et à la moyenne entreprise, non à la grande. Ce sont l'équipe de l'École des hautes études commerciales, l'abbé Lionel Groulx et ses disciples (groupés autour de la revue l'*Action française*, plus tard l'*Action nationale*) qui dénoncent l'emprise du capital étranger sur l'économie québécoise et l'éviction des Canadiens français du monde des affaires. Victor Barbeau publie, en 1936, *Mesure de notre taille*, un cri d'angoisse qui se veut un cri d'alarme. Pour corriger la situation, on propose la formule coopérative. Alphonse Desjardins, qui avait fondé les Caisses populaires en 1910, avait été un pionnier du mouvement coopératif. Mais Desjardins visait moins à assurer la participation des Canadiens français au développement de l'économie québécoise qu'à protéger les petites gens contre les usuriers et les sociétés de crédit naissantes. La campagne orchestrée en faveur du mouvement coopératif connaîtra un certain succès durant les années 1940. En 1954, *L'Action catholique* fera état des progrès suivants: 7 mutuelles-vies qui ont un actif de 50 millions de dollars; 1129 caisses populaires dont l'actif atteint 315 millions; 584 coopératives agricoles qui transigent quelque 127 millions par année; 92 coopératives de consommation; 28 chantiers coopératifs forestiers; 50 coopératives d'électricité.

Le mouvement coopératif est-il un instrument bien adapté à la grande entreprise? En certains milieux, on en doute. Durant les années 1920, les militants de l'*Action française* en viennent à croire que seul un État québécois dynamique pourrait assurer la présence canadienne-française dans le monde des affaires. L'émergence d'un concept d'État québécois est la résultante d'un ensemble de facteurs. D'abord, dans un jugement célèbre prononcé en 1883, le Conseil privé de Londres avait consolidé les assises juridiques de l'État provincial en déclarant que les provinces étaient souveraines dans leur sphère de compétence et qu'elles étaient des États à compétence limitée. Puis, au 20e siècle, les gouvernements successifs accroissent graduellement les assises financières de l'État provincial par un élargissement de la fiscalité. L'extension du régime de taxation (permis pour la vente des alcools, taxe de vente, taxe sur les repas, impôt sur le revenu personnel et sur les bénéfices des sociétés, taxe sur l'essence, etc.) gonfle les revenus ordinaires de l'État. Ces revenus, qui sont de 6,8 millions de dollars en 1914, passent à 96 millions en 1945, à 851 millions en 1963 et à 12 milliards en 1981.

Par ailleurs, la modernisation de l'économie québécoise favorise l'extension des activités de l'État. Le passage d'une économie agricole à une économie industrielle pose quantité de problèmes qui relèvent de l'État du Québec: le véhicule-moteur implique un réaménagement complet du système routier, la technologie postule une amélioration des normes de l'éducation, l'urbanisation nécessite la création de services de toute nature, etc. La croissance de l'État se manifeste dans la prolifération de nouveaux ministères et de nouveaux organismes paragouvernementaux: ministère de la Voirie (1914), ministère des Affaires municipales (1918), ministère du Revenu (1925), ministère du Travail (1931), ministère de la Santé (1936), ministère de l'Industrie et du Commerce (1943), ministère du Bien-être social (1944), ministère des Transports et Communications (1952), ministère de la Jeunesse (1958), ministère des Affaires culturelles (1961), ministère des Affaires fédérales-provinciales (1961), devenu, en 1967, le ministère des Affaires intergouvernementales, ministère du Tourisme, de la Chasse et de la Pêche (1963), ministère de l'Éducation (1964).

Tous ces phénomènes nouvellement apparus ont mis du temps à modifier les modalités de la vie politique québécoise. Par plus d'un aspect, le long règne du Parti libéral, qui va de la prise du pouvoir par Félix-Gabriel Marchand en 1897 à la chute du gouvernement d'Adélard Godbout en 1936, appartient encore aux conditions du 19ᵉ siècle. Un Parti libéral autocratique, dont la philosophie politique se résume concrètement à *rouge à Québec, rouge à Ottawa*, domine la scène provinciale, tout comme les conservateurs l'avaient fait au 19ᵉ siècle. Le caucus des députés, assise suprême du parti, règle la succession du leadership, distribue le «patronage», organise la propagande électorale. Le règne libéral avait commencé sous le signe de l'austérité: il fallait équilibrer le budget et faire oublier la mégalomanie de Mercier; il se continue cependant, selon la plus pure tradition du 19ᵉ siècle, dans ce qu'on a appelé l'*affairisme*: les réserves forestières, les concessions minières, les chutes d'eau font l'objet de marchandages entre politiques et financiers comme jadis les contrats et les subsides ferroviaires. Les libéraux tirent leur puissance du prestige personnel d'un homme, Wilfrid Laurier, qui, comme Cartier, incarne les lignes de force du Canada français: le nationalisme, la masse paysanne, la haute finance montréalaise, la hiérarchie catholique. Laurier, en effet, avait pris soin, avant son accession au pouvoir à Ottawa, d'épurer le Parti libéral de ses éléments radicaux qui avaient dans le passé effrayé la finance et le clergé. Par la suite, les attitudes impérialistes des conservateurs sur les questions de la loi navale (1910), de la participation à la guerre (1914), de la conscription (1917) ont sapé les dernières allégeances québécoises au Parti conservateur.

Le Parti conservateur québécois ne s'est jamais remis de la scission survenue entre les partisans de Chapleau (conservateurs modérés) et les Castors (conservateurs de droite) vers 1883. Nombre de conservateurs modérés sont passés dans le camp libéral, attirés par le magnétisme de Laurier. Les leaders conservateurs, Flynn, Cousineau, Sauvé, ne réussissent pas à créer un courant de sympathie. Les deux premiers sont des figures ternes, effacées; le troisième a de l'intuition et de l'audace, mais il dirige un parti qui a voté la conscription durant la première guerre. Une seule fois, les libéraux ont un adversaire de taille: Henri Bourassa, le petit-fils de Papineau, le député de Labelle qui a pris la vedette à Ottawa durant la guerre des Boers. Bourassa tente, en 1907-1908, une incursion sur la scène politique provinciale. Il a l'appui de la Ligue nationaliste fondée par Olivar Asselin en 1903 et de l'Association catholique de la jeunesse canadienne, organisée en 1904. Il effectue, en 1907, une tournée de la province qui ébranle le Parti libéral. Bourassa s'en prend vivement à la politique de colonisation du gouvernement. En 1908, il se présente aux élections provinciales, mais refuse de s'allier officiellement aux conservateurs. Son programme comprend quatre points importants: vente aux enchères des sources d'énergie hydraulique, séparation absolue du domaine forestier et du domaine de la colonisation, création d'une chambre syndicale qui serait un arbitre permanent entre patrons et ouvriers, démocratisation de l'enseignement. Bourassa et les nationalistes obtiennent environ 15% des votes, mais ne gagnent que dans trois circonscriptions.

Aux élections de 1923, un tiers-parti fait une brève apparition. Ce sont les Fermiers-Unis, dirigés par Noé Ponton, directeur du *Bulletin des agriculteurs*. Ce parti, né dans l'Ouest canadien durant la guerre, avait tenu un congrès à Montréal en 1922. Ponton lance un programme en 92 points, assez révolutionnaire pour l'époque; il promet le crédit agricole, le crédit au colon, l'électricité à bon marché, la coopération agricole, etc. Mais, sans fonds ni organisation, le parti ne présente que quatre candidats.

Le Parti libéral a donc la vie facile, n'ayant, de fait, à lutter que contre une opposition extraparlementaire, celle du mouvement nationaliste, qui recrute le gros de sa clientèle chez les jeunes. Cependant, des majorités exceptionnelles — aux élections de 1919, les libéraux ont 43 députés élus par acclamation le jour de la mise en nomination —, une presse complaisante parce que bien stipendiée, une opposition anémique conduisent tout droit au vieillissement et à la routine. En dépit d'un vigoureux coup de barre de Louis-Alexandre Taschereau en 1921 — il avait institué la loi de l'assistance publique, créé une régie des alcools, entrepris la lutte contre la tuberculose et la moralité infantile, subventionné les universités —, le Parti libéral n'est plus, à la fin des années 1920, qu'une mécanique bien huilée, soucieuse d'assurer la croissance économique par le capital étranger et une main-d'œuvre docile et très peu ouverte aux problèmes urbains.

De fait, c'est moins le gouvernement que l'Église du Québec qui assume, durant le premier tiers du 20e siècle, le leadership du peuple canadien-français. Sous l'énergique direction du cardinal Louis-Nazaire Bégin, l'Église grossit ses effectifs, multiplie les paroisses et les œuvres sociales. Cette rapide croissance de l'Église-institution accroît l'emprise des clercs sur la population et consolide leur opposition au sein des structures politiques — l'Église contrôle alors le bien-être et l'éducation.

L'Église est l'instance suprême qui légitime les idéologies, le lieu où la nation se définit, la police qui freine la transformation des mœurs engendrée par l'urbanisation. Elle a un projet de société centré sur un Canada biculturel, un Québec transformé en une chrétienté hiérarchisée suivant l'ordre naturel des choses, où un peuple composé d'une majorité d'agriculteurs s'épanouirait dans la ligne de son destin catholique et français. C'est l'Église qui durant cette période défend les minorités francophones des États-Unis et du Canada en voie d'être assimilées par les forces d'acculturation nord-américaines.

La «crise» des années 1930 vient troubler le cours normal des choses. Cette crise surgie aux États-Unis et aux proportions mondiales atteint son maximum d'intensité au Québec en 1931. Elle frappe durement les exportations de bois et de papier et restreint sévèrement l'activité commerciale et manufacturière. En 1932, le taux de chômage chez les ouvriers syndiqués atteint 26,4%: un sommet jamais atteint dans l'histoire du Québec. Dans les villes, c'est la «misère noire». Et cette crise se double d'une crise morale. Les aînés, autant que les jeunes, parlent de restauration de l'ordre moral. L'École sociale populaire, sous l'égide des Jésuites, dénonce l'emprise des pouvoirs économiques extérieurs et publie un programme de restauration sociale. Chez les jeunes et dans les milieux littéraires, l'impression se répand que le Canada bilingue et biculturel est une utopie. On voit émerger l'image encore floue d'un Canadien français étranger même dans sa patrie laurentienne et dont le salut tiendrait à l'utilisation d'un État national pour construire un pays qui serait sien. La québécitude commence à germer.

Cette crise qui sévit durant les années 1930 détruit la machine libérale. Les élections de 1931 font présager la fin du grand parti. Cette année-là, le pittoresque Camillien Houde dirige un Parti conservateur qui nourrit de grands espoirs. Il mène sa campagne tambour battant. Il annonce un programme axé sur la famille et le bien-être social. Il promet des allocations aux vieillards, aux nécessiteux, aux veuves; il prône le crédit agricole, l'électrification rurale et la colonisation. Les libéraux, ébranlés par la crise, manquent d'idées. Ils sont vagues dans leurs promesses, mais généreux dans les travaux de voirie. Dix jours avant les élections, Houde semble assuré d'une victoire retentissante. Mais, soudain, le vent tourne. Ce revirement de l'opinion publique demeure un mystère dans l'histoire politique québécoise. Certains en attribuent la cause aux promesses extravagantes de Houde; d'autres, à l'impopularité du gouvernement conservateur dirigé par Richard B. Bennett, récemment élu à Ottawa. Houde s'en prend pour sa part à la caisse électorale libérale. Il conteste les élections dans 63 circonscriptions, mais le premier ministre Taschereau le musèle par la loi Dillon, dite «le bâillon», qui modifie rétroactivement la loi des élections contestées.

Ce n'est que partie remise. La crise qui engendre le chômage, les faillites à la douzaine, la mévente des produits agricoles provoque diverses réponses politiques. Les conservateurs tiennent une grande convention à Sherbrooke et élisent le député de Trois-Rivières, Maurice Duplessis, leader du parti. Aussitôt élu, Duplessis se cherche des alliés. Il en trouve chez les jeunes libéraux désireux de vivifier le Parti libéral. Les jeunes libéraux ont un chef, Paul Gouin, le fils de Sir Lomer Gouin qui a occupé le poste de premier ministre de 1904 à 1920; ils ont une étiquette politique, l'*Action libérale nationale*; ils ont un programme, le manifeste de l'École sociale populaire de Montréal. D'autres leaders joignent les rangs de la coalition antilibérale: Philippe Hamel, qui a entrepris depuis quelques années une campagne contre le trust de l'électricité, le maire Joseph-Ernest Grégoire, qui a commencé à mettre de l'ordre dans l'administration municipale de la ville de Québec. Les élections de 1935 se déroulent dans une atmosphère explosive. Grâce à la radio — les libéraux contrôlent la presse écrite —, la coalition fait entendre son message. Le verdict de l'électorat n'est pas clair: 48 libéraux et 42 oppositionnistes sont élus. Le premier ministre Taschereau, qui a succédé à Lomer Gouin en 1920, démissionne et confie sa succession à Adélard Godbout. Duplessis obtient, durant la session de 1936, que siège le Comité des comptes publics, qui lui permet de dévoiler une litanie sans fin de scandales. Godbout demande la dissolution des Chambres et la tenue de nouvelles élections.

Adélard Godbout espère profiter des dissensions qui se sont manifestées au sein de la coalition antilibérale pour raffermir l'emprise de son parti. Il promet l'abolition de la loi Dillon et une enquête royale sur l'administration de la province. Mais Duplessis exploite à fond les maux engendrés par la crise et les scandales révélés par le Comité des comptes publics. Il raffermit la coalition antilibérale en fondant l'Union nationale qui groupe les conservateurs, les libéraux dissidents et les nationalistes. Du coup, Duplessis désolidarise le Parti conservateur québécois des erreurs de son homonyme fédéral et évince ses rivaux de l'Action libérale nationale. L'Union nationale triomphe, au soir du 17 août 1936, dans 76 des 90 circonscriptions électorales.

Porté au pouvoir par un désir d'assainissement de la moralité publique et de libération économique, Duplessis annonce ses couleurs dès la formation de son cabinet. Il écarte les réformistes du Programme de restauration sociale en guerre ouverte contre les cartels et les trusts et cimente une alliance dont le noyau est l'Église, les élites traditionnelles, le monde rural et les capitalistes. La législation qu'il adopte durant son mandat reflète les intérêts de cette coalition disparate. Duplessis ne touche ni au régime scolaire, ni au régime d'assistance publique, chasse gardée de l'Église. Il établit le crédit agricole, accepte le régime de pensions de vieillesse du gouvernement canadien et, suivant les recommandations du rapport Montpetit, fait voter des mesures d'aide aux mères nécessiteuses. Face au gouvernement fédéral, à la suite de tous les premiers ministres depuis Mercier, il plaide en faveur de l'autonomie provinciale. À la fin de septembre 1939, dénonçant les empiètements du fédéral dans des domaines de compétence provinciale, Duplessis, confiant, annonce la tenue d'élections générales le 25 octobre. À la surprise d'un peu tout le monde, c'est le Parti libéral, dirigé par Adélard Godbout, qui remporte le scrutin. Il est vrai que Godbout a reçu l'appui non négligeable des libéraux fédéraux.

LA REMISE EN QUESTION D'UN ORDRE SOCIAL, 1939-1956

De 1939 à 1956, une suite d'événements extérieurs à la vie québécoise ou canadienne, telles la guerre mondiale (1939-1945), la reconstruction de l'Europe (1946-1949), la guerre froide et la guerre de Corée (1949-1953), provoque une expansion accélérée de l'économie québécoise. Avant 1946, on ne dispose pas de statistiques pour mesurer le produit national brut québécois. Mais, calculé pour la première fois de 1946 à 1956, cet indice de croissance économique augmente d'environ 45% en dollars constants. De toute manière, pour mesurer la croissance du Québec entre 1939 et 1956, certains faits ne sauraient mentir. Ainsi, alors que la population augmente de 40%, la production manufacturière, elle, croît de 168% en dollars constants.

L'expansion économique du Québec, comme celle du Canada d'ailleurs, est accélérée, mais non continue. Elle va par à-coups. Durant le second conflit mondial, l'effort de guerre fouette l'économie qui fonctionnait au ralenti depuis 1929. Toutes les branches du secteur manufacturier augmentent leur production, en particulier les activités touchant les métaux non ferreux (200%), les minéraux non métalliques (95%), le fer (236%), le matériel de transport (511%), les appareils électriques (177%) et les produits chimiques et pétro-chimiques (200%). Il faut équiper et vêtir ces centaines de milliers de militaires qui font la guerre sous d'autres cieux. Des activités manufacturières à haute technologie et à forte intensité de capital viennent renforcer et diversifier la structure économique du Québec. La journaliste Evelyn Dumas a estimé qu'en 1943 le travail de l'acier et des produits du fer occupe 108 085 ouvriers, le textile, 76 002, et les industries chimiques, 46 553.

De 1946 à 1949, l'économie de guerre se reconvertit en économie de paix. Il serait hasardeux de prétendre que cette transition a été planifiée par les hommes politiques. Mais ceux-ci gardent tout de même en mémoire les nombreux problèmes suscités par le rapatriement des soldats après la Première Guerre mondiale et leur démobilisation. Aussi, au printemps 1945, avant même que le conflit ne se termine, le gouvernement canadien publie un *Livre blanc sur l'emploi et le revenu*, qui fait montre d'une nouvelle attitude face aux responsabilités de l'État en matière socio-économique. Le maintien de l'emploi à un niveau élevé devient une priorité politique et on annonce des mesures concrètes pour faciliter la reconversion de l'économie: l'octroi de crédits à la Banque d'expansion industrielle et aux pays importateurs, de même que la création de la Société centrale d'hypothèques et de logements pour relancer la construction domiciliaire.

Si ces mesures s'avèrent judicieuses, il ne faudrait pas pour autant leur imputer tout le succès de la reconversion économique. À vrai dire, la transition est aussi largement facilitée par un ensemble de facteurs qui tiennent aux conditions générales de l'époque. Au sortir de la guerre, par exemple, les Québécois, comme tous les Canadiens, après un rationnement serré en biens et en vivres, disposent maintenant d'épargnes qu'ils peuvent utiliser pour améliorer leur niveau de vie. Leur pouvoir d'achat se trouve aussi augmenté du fait des mesures prises par le gouvernement fédéral pour maintenir un flux de dépenses en biens de consommation: assurance-chômage (1941), allocations familiales (1944), indemnités aux anciens combattants, réductions des impôts, etc. Cette circulation d'argent s'accroît aussi du fait que l'Europe, en pleine reconstruction, s'approvisionne beaucoup en Amérique. Cela permet donc de continuer à faire tourner des usines qui autrement s'en seraient trouvées fort ralenties.

En 1949, l'économie québécoise commence à marquer le pas. La petite taille du marché interne et le ralentissement de la vente des biens de consommation durables (appareils ménagers, automobiles, etc.) laissent entrevoir la possibilité d'une dépression. Mais, le 4 avril 1949, la signature du pacte de l'Atlantique-Nord déclenche la guerre froide, lance les grandes puissances dans la course aux armements et les États-Unis dans le stockage du matériel stratégique. La guerre de Corée ne fait que renforcer la tendance. Pareil climat favorise la vie économique québécoise, car le Québec dispose justement d'un certain nombre de matières premières (minerai de fer, bois, papier et métaux non ferreux) hautement recherchées par les Américains. C'est à ce moment qu'on commence à exploiter les mines de fer du Nouveau-Québec.

Il serait illusoire de croire, comme on l'a maintes fois laissé entendre, que les années d'après-guerre sont des années de prospérité générale. Les agriculteurs, par exemple, qui, durant la guerre, avaient pu profiter de l'augmentation générale des prix, voient désormais les coûts de revient augmenter plus rapidement que le prix de vente des produits agricoles.

Les ouvriers touchant le salaire minimum s'appauvrissent; leurs gains n'arrivent guère à compenser la hausse générale du coût de la vie. Il en va de même pour les enseignants, les petits fonctionnaires et les travailleurs du milieu hospitalier qui, sous-rémunérés, contribuent aux excédents budgétaires du gouvernement du Québec. Chez les travailleurs syndiqués, la situation varie selon les industries et les régions. Ceux qui œuvrent dans les entreprises dites du «secteur mou» (alimentation, cuir, tabac et textile) touchent des salaires de famine. En 1953, par exemple, on estime qu'il faut à un ouvrier du textile, subvenant aux besoins de quatre autres personnes, un salaire minimum vital de 52$ par semaine, alors qu'il n'en touche que 40$. Par contre, les travailleurs de la construction et de la grande industrie, plus avantagés, obtiennent des salaires conformes, sinon supérieurs à la hausse du coût de la vie.

Sous la pression des syndicats, les gouvernements s'efforcent de mieux répartir le revenu national par des mesures sociales. Parallèlement aux programmes fédéraux d'assurance-chômage et d'allocations familiales, le gouvernement du Québec accroît les prestations sociales aux plus démunis: mères nécessiteuses, infirmes, accidentés du travail, indigents, invalides, etc. Mais ces mesures ne sont que des palliatifs aux besoins les plus criants de la société. La nécessité de boucler le budget familial amène de nombreuses femmes sur le marché du travail. En effet, de 1931 à 1961, la proportion des femmes au sein de la main-d'œuvre active québécoise ne cesse d'augmenter, passant de 19,8% à 27,1%.

Quoi qu'en disent les discours officiels, le Québécois n'est plus un rural. Le fort mouvement d'urbanisation stoppé avec la dépression des années 1930 reprend subitement durant la guerre et s'accélère pendant les années 1950. Les agriculteurs, qui étaient 255 000 en 1941, ne sont plus que 166 000 en 1956; les autres ont gagné la ville pour devenir manœuvres, charpentiers, ouvriers d'usine ou petits commerçants. Montréal et Québec, qui n'avaient été à ce jour que des agglomérations de gros villages où se maintenaient souvent les traditions rurales, deviennent de véritables creusets où s'élaborent de nouvelles valeurs, se créent de nouvelles solidarités. Mais il y a plus. L'amélioration des routes et des moyens de transport, l'électrification des campagnes et la révolution dans les communications se font d'abord à l'avantage de la ville. Désormais, grâce à ces nouveautés, l'attraction exercée par la ville ne sera que plus accentuée. Cette dernière devient une force culturelle de plus en plus envahissante et irrésistible.

Dans cette société en voie de mutation, l'Église catholique qui, traditionnellement, avait assumé de nombreuses responsabilités en matière d'éducation et de bien-être social, se voit distancée par d'autres forces sociales. Devant l'ampleur des changements, elle ne dispose plus de ressources financières suffisantes pour bien remplir les tâches qui lui avaient été dévolues. Aussi le gouvernement doit mettre en place un réseau d'écoles de métier, assumer de plus en plus les frais d'immobilisation dans le système hospitalier et multiplier les interventions directes auprès des défavorisés. L'idéologie officielle de l'Église, qui avait défini le Québec comme une société catholique, française et rurale, ne correspond plus à la réalité. Certes, dans une lettre collective publiée en 1950, l'épiscopat reconnaît la ville comme un milieu «sanctificateur»; mais cette prise de position arrive bien tard et ne correspond pas à un changement profond des mentalités chez la plupart des membres du clergé, si ce n'est chez certains membres de la Commission d'études sacerdotales.

Si la puissance politique et sociale de l'Église s'amenuise, la force du syndicalisme s'affirme. Trois centrales syndicales regroupent les ouvriers: la Confédération des travailleurs catholiques du Canada (CTCC), la Fédération provinciale du travail du Québec (FPTQ), rattachée au Congrès des métiers et du travail du Canada (CMTC), et le Congrès canadien du travail (CCT), qui regroupe, en décembre 1952, ses affiliés québécois dans la Fédération des unions industrielles du Québec (FUIQ). Sauf pour le CCT, qui appuie en 1943 la Cooperative Commonwealth Federation (CCF), le syndicalisme garde ses distances vis-à-vis des partis politiques et, à partir de 1948, il endosse la lutte que les gouvernements mènent au communisme.

Fort de la croissance du nombre de ses adhérents et face à l'implantation des multinationales, le mouvement syndical se restructure et révise son idéologie. À ce sujet, le cas de la CTCC est révélateur. En 1942, elle engage son premier organisateur syndical, Jean Marchand. L'année suivante, à son congrès de Granby, elle entreprend de se déconfessionnaliser, en acceptant dans ses rangs des travailleurs non catholiques et en enlevant à l'aumônier son droit de veto sur les grèves. En septembre 1946, elle rajeunit ses cadres en élisant comme dirigeants le tandem Gérard Picard-Jean Marchand. Sans abandonner complètement l'idée de la complémentarité des classes et les principes moraux de l'encyclique de *Quadragesimo Anno*, la nouvelle équipe se donne des objectifs socio-économiques: la planification de la production et une répartition plus équitable des biens et des services. Pour ce faire, elle prône la copropriété, la cogestion et la participation aux bénéfices. En 1948, la CTCC améliore l'efficacité de ses services et établit un fonds de grève. En 1949, elle permet à ses dirigeants de percevoir une taxe spéciale en cas de crise et crée un comité d'action civique. Finalement, l'abandon de la confessionnalité en 1954, du moins au niveau des pratiques syndicales, témoigne du chemin parcouru.

Mais le cheminement de la CTCC n'est pas nécessairement représentatif de tout le mouvement syndical. La FPTQ, dirigée par Roger Provost et Claude Jodoin, s'inspire davantage du syndicalisme d'affaires nord-américain. Ne cherchant aucunement à remettre en question le régime économique, elle favorise la bonne entente avec le capital et avec l'État. D'ailleurs, elle sait entretenir de bonnes relations avec le gouvernement antisyndical de Maurice Duplessis. Quant à la FUIQ, la fraction avant-gardiste du mouvement syndical, elle prône un nationalisme pancanadien et l'instauration de la social-démocratie. Certains de ses leaders fondent en 1955-1956 la Ligue d'action socialiste.

Le mouvement syndical n'est pas monolithique. Il se retrouve souvent déchiré par des rivalités intersyndicales où jouent, entre autres, des facteurs religieux et ethniques. Il n'empêche cependant qu'il arrive à se donner assez de cohésion et de vitalité pour faire la lutte au gouvernement Duplessis, dont le conservatisme social plaît aux élites traditionnelles et aux ruraux. Trois événements en particulier polarisent les syndicats: (1) l'institution d'un code du travail (1948), qui limite le droit de grève et la liberté syndicale; (2) les projets de loi 19 et 20 (1953), qui limitent le droit d'organisation syndicale; (3) le projet de loi Guindon (1954), qui prévoit enlever l'accréditation syndicale aux syndicats du secteur public et parapublic qui auraient recours à la grève. À chaque occasion, les syndicats font front commun pour dénoncer le gouvernement Duplessis et cherchent à s'appuyer sur le gouvernement fédéral qui, en période de guerre, avait rapidement reconnu le principe de la liberté syndicale et favorisé le régime des conventions collectives. Ce faisant, les leaders syndicaux délaissent les thèmes nationalistes chers à Duplessis pour adhérer aux principes de la démocratie libérale.

Au cours de la période 1939-1956, le gouvernement du Québec affronte deux problèmes majeurs: une plus grande centralisation des pouvoirs à Ottawa et les problèmes sociaux nés de l'industrialisation et de l'urbanisation.

La Constitution canadienne prévoit que le gouvernement central peut, en temps de guerre, s'arroger tous les pouvoirs pour maintenir la paix et le bon ordre. De 1939 à 1945, les gouvernements provinciaux, à la grandeur du pays, sont investis par le pouvoir central. Ce dernier se croit d'autant plus habilité à agir ainsi que le rapport de la commission Rowell-Sirois (1940), qu'il a mise sur pied durant les années 1930, propose une plus grande centralisation. La domination exercée par le gouvernement canadien à l'égard des provinces sera telle qu'il deviendra plus tard difficile de départager les mesures que l'effort de guerre rendait inévitables de celles qui ont été sanctionnées pour satisfaire le vieil instinct centralisateur fédéral. Aussi coincé que les autres gouvernements provinciaux, le gouvernement libéral d'Adélard Godbout sera contraint d'accepter en 1942 les célèbres accords fiscaux aux termes desquels le Québec renonce provisoirement, en échange d'une subvention annuelle, à prélever un impôt sur le revenu des particuliers et des corporations. Les spécialistes de cette question estiment que de 1941 à 1947 Ottawa a prélevé deux milliards de dollars au Québec et n'en a retourné que 100 millions au gouvernement québécois.

Au pouvoir de 1939 à 1944, le gouvernement Godbout, le premier à véritablement s'appuyer sur l'électorat urbain, adopte un certain nombre de mesures sociales importantes qui placent le Québec sur la voie du modernisme. Il accorde le droit de vote aux femmes (1940), passe la loi touchant la fréquentation scolaire obligatoire (1943), met sur pied le Conseil supérieur du travail (1940), le Conseil d'orientation économique (1943), la Commission d'assurance-maladie (1943), la Commission des relations ouvrières (1944), et Hydro-Québec (1944). Malgré ces nombreuses réformes et bien qu'il ait l'appui des citadins et des syndicats, le gouvernement Godbout est contesté par une partie du clergé, de même que par les nationalistes regroupés dans un nouveau parti politique, le Bloc populaire. On lui impute notamment les méfaits de la conscription et de la politique centralisatrice du gouvernement fédéral. Et avant de tenir les élections provinciales de 1944, Godbout néglige de réformer la carte électorale qui favorise les ruraux au détriment des citadins.

Ainsi, lors du scrutin de 1944, l'Union nationale de Maurice Duplessis se glisse entre le Parti libéral et le Bloc populaire. Avec moins de suffrages que les libéraux, Duplessis obtient cependant plus de sièges, grâce à ses appuis en milieu rural. Il met alors en place un régime politique autoritaire, conservateur, antisyndical et nationaliste. Ses priorités: la croissance économique et le respect de la Constitution par le gouvernement fédéral. Partagé entre son désir de moderniser l'économie du Québec et son attachement aux valeurs ancestrales, Duplessis met sa confiance dans l'entreprise privée et fait systématiquement appel aux capitaux américains. Il met aussi tout en œuvre pour assurer aux employeurs une administration facile, en favorisant une forme paternaliste des relations de travail.

Face à Ottawa, Duplessis refuse dès 1945 de renouveler les accords fiscaux de 1942. Cette politique autonomiste coûte cher aux Québécois (378 millions de dollars entre 1947 et 1953); mais elle prépare l'avenir. La décision de créer un impôt sur le revenu des corporations en 1947 et un impôt sur le revenu des particuliers équivalant à environ 10% de l'impôt fédéral en 1954 préfigure déjà l'émergence d'un État québécois fort. À court terme cependant, le refus d'accepter les subsides fédéraux et la hantise des déficits budgétaires empêchent la mise au point de programmes de développement économique et de sécurité sociale. De toute manière, Duplessis craint l'insatiabilité de la population et la multiplication des besoins. La législation sociale, selon lui, ne crée-t-elle pas de nouveaux besoins et n'engendre-t-elle pas la course effrénée vers leur assouvissement?

Dans un Québec conservateur, le changement devait survenir non du niveau politique, mais des milieux sociaux et académiques. Les universités, en général, les facultés de sciences sociales, les écoles commerciales produisent une nouvelle génération d'hommes susceptibles de contester le leadership des élites traditionnelles. On aspire à se tailler une place dans la fonction publique et l'entreprise privée. Les enseignants laïcs commencent à remettre en question la main haute des clercs sur le système scolaire. Dans l'Église même, de nouveaux courants de pensée, tel le mouvement de l'Action catholique, contestent la théologie fixiste et le mythe de l'ordre naturel des choses. À partir de janvier 1950, ces forces disposent d'une nouvelle revue pour s'exprimer, *Cité libre*. L'arrivée de Gérard Filion à la direction du *Devoir*, en 1946, permet à ce quotidien de faire une large place aux problèmes socio-économiques. Et un Parti libéral rénové, sous la houlette d'un nouveau chef, Georges-Émile Lapalme, peut prétendre être en mesure de canaliser ces forces montantes. Sans compter que l'avènement de la télévision en 1951 commence à bouleverser les croyances et les comportements traditionnels.

LA RÉVOLUTION TRANQUILLE, 1957-1965

À compter de 1956, l'économie du Québec s'essouffle. Sur les marchés internationaux, il y a surabondance de matières premières et de produits ouvrés, maintenant que les économies européennes se sont relevées de la guerre et que les pays du Tiers-Monde accélèrent l'exploitation de leurs richesses naturelles. La concurrence est vive et le marché domestique ne peut suffire à éponger l'excédent de la production. Les grands travaux d'aménagement des richesses naturelles tirent à leur fin, ce qui provoque une hausse importante du chômage. La politique budgétaire conservatrice du gouvernement québécois est aussi un facteur de déflation; de 1939 à 1952, par exemple, les dépenses publiques, y compris celles des municipalités, passent de 13,9% du PNB à 8,9%. La recherche scientifique est quasi inexistante. L'équipement des manufactures a beaucoup vieilli. Et la main-d'œuvre est peu polyvalente. Bref, le Québec découvre que, même sur son propre marché, il arrive mal à concurrencer l'étranger.

Il s'ensuit, de 1957 à 1961, un ralentissement important de l'activité économique, en particulier en agriculture et dans l'extraction des matières premières. La croissance économique annuelle n'atteint que 3,9%. Les investissements progressent au rythme de 2% par année, comparativement à 14% durant les années précédentes. Des régions comme la Gaspésie, la Côte-Nord et le Saguenay-Lac-Saint-Jean sont durement touchées par le fléau du chômage. Dans certaines localités, on évoque même le spectre de la crise des années 1930. La désertion se poursuit chez les agriculteurs, puisque le prix de vente des produits agricoles n'arrive pas à combler les coûts de production. Et ce n'est qu'au prix d'un accroissement de la superficie des fermes, d'une modernisation de l'équipement et d'une spécialisation accrue qu'un agriculteur pourra arriver à rentabiliser son travail. Économiquement, dans la société québécoise, les francophones occupent le bas de l'échelle. D'ailleurs, en 1965, le rapport Laurendeau-Dunton constate qu'un Québécois francophone touche un revenu moyen inférieur d'environ 35% à celui du Québécois anglophone. Les anglophones, formant 7% de la main-d'œuvre, occupent 80% des postes les mieux rémunérés dans l'entreprise manufacturière. Et la rentabilité d'une entreprise étrangère en sol québécois est deux fois plus forte que celle d'une entreprise francophone.

Les salaires ou les prestations des petits agriculteurs, des chômeurs et des travailleurs non syndiqués ou qui n'ont pas le droit de grève n'augmentent pas au même rythme que le coût de la vie; seuls les travailleurs syndiqués s'en tirent mieux. Du reste, le mouvement syndical se renforce avec la fusion en 1957 de la FUIQ et de la FPTQ dans la Fédération des travailleurs du Québec (FTQ). Cette centrale militera en faveur de la démocratisation de l'enseignement, de la gratuité scolaire, d'une rente plus élevée sur les richesses naturelles et de l'amélioration des lois ouvrières. Au même moment, la Corporation des enseignants du Québec (CEQ), grâce à l'arrivée massive d'enseignants laïcs, connaît une nouvelle vigueur.

Pour remédier à cette stagnation relative, il faudra bien un coup de barre. Du moins, le croit-on chez les classes moyennes urbaines, où se recrutent les leaders et les partisans du changement. Déjà, de 1953 à 1956, la Commission royale d'enquête sur les problèmes constitutionnels, mise sur pied par Duplessis, avait tenu 97 séances publiques et reçu 253 mémoires. Contrainte de donner un éclairage socio-économique aux problèmes constitutionnels, elle avait dû étudier l'ensemble des problèmes de la société québécoise et avait conclu: «Il n'est plus possible d'éviter le recours à l'État, parce que les organismes privés ne peuvent suffire à la tâche.» Duplessis, effrayé par l'ampleur des réformes à opérer, avait tenté de tenir le rapport dans l'ombre. Mais il était trop tard. Le coup d'envoi était donné. Les partisans du changement misent désormais sur un État québécois fort pour résoudre les problèmes engendrés par une croissance anarchique de l'économie et de l'urbanisation. Ils se regroupent en 1956 dans un mouvement politique, le Rassemblement, dont le comité exécutif comprend deux universitaires, trois syndicalistes, un membre de l'Union catholique des cultivateurs (UCC), trois journalistes, un avocat et deux agronomes.

Les membres du Rassemblement demeurent attachés au christianisme, au fédéralisme et au capitalisme; mais ils prônent la modernisation du Québec et réclament des gouvernants une plus grande rationalité au service d'une liberté et d'une égalité accrues. Entre l'Union nationale de Maurice Duplessis et le Rassemblement, la lutte est impitoyable. Duplessis est roi à l'Assemblée législative, mais le Rassemblement utilise mieux les médias. De 1957 à 1959, les ennemis semblent irréductibles. Finalement, la mort de Duplessis en septembre 1959 et celle de son successeur, Paul Sauvé, quatre mois plus tard, ébranlent l'Union nationale. Divers scandales mis à jour par les libéraux durant les mois qui suivent précipitent sa défaite aux élections du 22 juin 1960. De justesse, le Parti libéral remporte 51 des 94 sièges.

Maintenant dirigé par Jean Lesage, un avocat de 48 ans qui rappelle les grands tribuns du 19e siècle, le Parti libéral entreprend la modernisation du Québec. Il s'agit à vrai dire beaucoup plus d'une opération de déblocage que d'une véritable révolution; c'est la raison pour laquelle on l'appelle «Révolution tranquille». S'appuyant sur une poignée de technocrates recrutés à la hâte, «l'équipe du tonnerre» est pressée d'agir. Elle met ses énergies à bâtir un appareil étatique complexe qui récupérera des compétences et des moyens laissés à d'autres pouvoirs et adopte une série de mesures sociales qui assureront une meilleure distribution des biens et des services. Pour ce faire, on puise les grandes lignes de la réforme dans le modèle des sociétés occidentales et dans la pensée néo-libérale. On met sur pied les commissions Salvas (moralité dans les dépenses publiques) et Parent (éducation); on institue la Société générale de financement, le Conseil d'expansion économique et quatre nouveaux ministères; on instaure l'assurance-hospitalisation et un régime de bourses d'études; on prévoit le versement de subventions statutaires aux universités et on entreprend de réviser l'échelle salariale des fonctionnaires.

Ce nouveau dynamisme de l'État québécois change les données de la politique extérieure canadienne, car le gouvernement entend désormais assurer sa présence à l'étranger dans les matières où il est souverain. Dès octobre 1961, le premier ministre Lesage inaugure la Maison du Québec à Paris. En mai 1963, il fait de même à Londres. En 1981, on comptera ainsi 16 délégations sur trois continents. Le Québec signe des accords de coopération avec la France. Le ministre de l'Éducation, Paul Gérin-Lajoie, élabore l'idée d'une Francophonie, aussitôt relancée par les présidents tunisien et sénégalais Habid Bourguiba et Léopold Sédar Senghor, et qui depuis va son chemin. Le Québec s'assure une pleine participation à des conférences internationales, ce qui ne va pas sans mécontenter le gouvernement d'Ottawa. La thèse outaouaise maintient que la pratique constitutionnelle n'accorde qu'au seul gouvernement central le droit de signer des traités et de siéger comme État souverain dans les conférences internationales. Désormais, à chaque événement international les concernant, Québec et Ottawa devront en venir à des compromis momentanés.

En quelques années, le Québec devient une démocratie libérale dirigée par un gouvernement qui s'appuie d'abord sur les classes moyennes et qui régularise la vie économique, répartit plus équitablement les biens et les services, soutient l'entreprise privée. Mais ces transformations ne vont pas sans heurts. Elles choquent les ruraux et les petites gens qui s'estiment exclus de ce processus de rénovation. Dans un monde politique où autrefois jouaient les relations interpersonnelles, ce sont maintenant les normes et les procédures qu'il faut respecter. Le langage n'est plus le même; il emprunte désormais à des disciplines universitaires, telles la sociologie et la science économique. Les notables de la société traditionnelle, comme les maires, les curés, les présidents de commissions scolaires, les organisateurs politiques, qui occupaient un rôle d'intermédiaires se sentent menacés et se rebiffent. Le scrutin hâtif du 14 novembre 1962, officiellement un référendum sur la nationalisation de l'électricité, a pour but de rallier les mécontents, d'élargir les assises du gouvernement libéral. Mais l'Union nationale, le parti des petites gens, dirigée par un nouveau chef, Daniel Johnson, se révèle coriace. Bien sûr, les libéraux triomphent avec 63 sièges et 56,7% des suffrages; mais l'UN obtient tout de même 31 sièges et 42,2% des voix.

De retour au pouvoir, le Parti libéral bénéficie d'une forte reprise économique. L'argument est de taille, car la bonne santé économique permet d'absorber sur le marché du travail l'arrivée importante d'une nouvelle main-d'œuvre. Bon an mal an, de 1961 à 1966, 74 000 nouveaux travailleurs se présentent sur le marché. Cette hausse provient du fort taux de natalité de l'après-guerre et du nombre de plus en plus grand de femmes qui dorénavant cherchent à gagner leur vie à l'extérieur du foyer. L'expansion économique est telle durant cette période que le taux de chômage tombe de 9,2% à 4,7%. Jouissant d'un large consensus sur les objectifs au sein des intellectuels, des syndicats, des fonctionnaires et des media, le gouvernement libéral poursuit son entreprise de modernisation. On repense le code du travail, la carte électorale et le système municipal. On crée le ministère de l'Éducation, le régime universel de rentes, la Caisse de dépôt et de placement, la Régie de l'assurance-récolte, la Société québécoise d'exploitation minière et le Bureau d'aménagement de l'Est du Québec. En matière d'éducation, de santé, de bien-être et de voirie, le politicologue Daniel Latouche estime que les dépenses publiques augmentent annuellement de 21% et les effectifs de la fonction publique de 53%.

La croissance de l'État et les grandes politiques gouvernementales minent les bases des administrations locales qui desservent les petites communautés; elles ont soudain le sentiment de tourner à vide. L'Église, elle, s'en trouve particulièrement affectée. En dix ans, la société québécoise s'est déconfessionnalisée et décléricalisée. Finie la belle unanimité autour de l'idéal évangélique. L'heure est à la dislocation, à la désertion. Les paroisses ne forment plus de communautés homogènes. Les syndicats et les coopératives achèvent de rompre leurs attaches religieuses. Par centaines, clercs et religieux retournent à l'état laïc. À l'heure du concile Vatican II (1962-1965), des mouvements de décolonisation et de libération nationale, de la révolution sexuelle et de l'entrée dans l'ère de la consommation, le Québec amorce une importante mutation culturelle.

Face à un État de plus en plus présent dans la vie de chacun, de nouvelles forces socio-politiques se font jour. Corporations, conseils du patronat, associations professionnelles prétendent parler au nom de leurs membres et exigent du gouvernement d'être reconnus comme des interlocuteurs valables. Le syndicalisme, raffermi durant les années 1940 et 1950, devient un partenaire social majeur. Avec l'octroi de l'accréditation syndicale

aux employés de services publics, il connaît une hausse fulgu-
rante de ses effectifs et se présente maintenant comme la
principale force à s'opposer à l'État-employeur. La CTCC, para-
chevant son processus de déconfessionnalisation, devient la
Confédération des syndicats nationaux (CSN) en 1960. Lors des
campagnes d'accréditation auprès des travailleurs, la CSN se
révèle plus populaire que la FTQ, à cause de son attitude agres-
sive et de son néo-nationalisme. La FTQ, défavorisée par ses
alliances passées avec Duplessis et son affiliation à une centrale
canadienne, ne retrouve une nouvelle vigueur qu'en 1964, avec
l'arrivée de Louis Laberge.

À partir de 1965, la Révolution tranquille est à bout de
souffle. Lorsque des journalistes reprochent au gouvernement
libéral de présenter des signes de lassitude, le premier ministre
Lesage leur répond: «Aujourd'hui, nous continuons de progres-
ser au même pas, au même rythme, au galop; mais qu'est-ce que
vous voulez, la population s'est habituée au rythme.» À vrai dire,
des blocages se font jour. Pour la première fois, les dépenses
gouvernementales franchissent le cap des deux milliards de
dollars. La dette publique s'alourdit; les contribuables rechi-
gnent; la capacité d'emprunt du gouvernement s'amenuise; la
marge de manœuvre devient de plus en plus étroite. Que faire?
Faut-il poursuivre ou marquer le pas? Le Parti libéral estime la
révolution achevée, comme en témoigne son slogan électoral de
1966, «Pour un Québec prospère». Mais les nationalistes de
gauche ne seront satisfaits qu'au moment de l'indépendance
politique du Québec et de l'instauration d'une société socialiste.
De larges secteurs de la population ne se reconnaissent plus dans
ce gouvernement technocratique. Les disparités régionales se
sont accrues. Les agriculteurs, appauvris, attendent toujours une
nouvelle valorisation sociale de leur profession. La structure
industrielle demeure traditionnelle. Le système scolaire hâtive-

ment mis en place a des ratés. Et l'État québécois, ayant fait le plein de personnel, ne peut plus absorber tous les éléments instruits des classes moyennes en quête de postes de cadres.

Ces malaises profonds se doublent d'une forte crise nationaliste. Les francophones du Canada, en particulier ceux du Québec, n'acceptent plus de n'être collectivement qu'une minorité ethnique privilégiée. Ils aspirent à «l'égalité des cultures et des sociétés». Dans son rapport préliminaire de 1965, la commission fédérale Laurendeau-Dunton sur le bilinguisme et le biculturalisme constate que «le Canada traverse la période la plus critique de son histoire depuis la Confédération. Nous croyons qu'il y a crise: c'est l'heure des décisions et des vrais changements; il en résultera soit la rupture, soit un nouvel agencement des conditions d'existence...»

À LA RECHERCHE D'UN NOUVEAU CONSENSUS, 1966-1987

Au Québec, en 1966, outre les libéraux, trois partis politiques courtisent les électeurs. L'Union nationale vient tout juste, un an plus tôt, de renouveler ses structures et son leadership et d'adhérer aux principaux objectifs de la Révolution tranquille. Forte d'une image populiste, d'une tradition autonomiste et d'une popularité assurée auprès des ruraux, elle espère sérieusement reprendre le pouvoir après six ans dans l'opposition. Le Rassemblement pour l'indépendance nationale (RIN), fondé comme parti en mars 1963, est la première formation politique à prôner nettement la souveraineté du Québec. De tendance centregauche, il ne rallie pas cependant tous les nationalistes. Sa turbulence effraie. Les prises de position de certains de ses leaders apparaissent souvent trop radicales. Et il est traversé de courants idéologiques contradictoires. D'ailleurs, en 1964, un groupe de nationalistes disciples du chanoine Groulx, défendant surtout la francisation du Québec, avait quitté le RIN pour fonder le Regroupement national. Alliés en 1966 au Ralliement créditiste de Gilles Grégoire, ils se présentent maintenant sous l'étiquette du Ralliement national.

Aux élections du 5 juin 1966, l'Union nationale sort victorieuse avec 55 sièges et 41,2% des suffrages. Bien qu'ils récoltent un plus fort pourcentage de voix (47%), les libéraux n'arrivent à faire élire que 51 députés. Les deux autres formations, le RIN et le RN, ne réussissent à faire élire aucun député.

L'Union nationale reprend le pouvoir au moment où l'activité économique ralentit. Le taux de chômage passe de 4,7% en 1966 à 7,1% en 1970. La main-d'œuvre croît plus vite que le nombre d'emplois créés. Et le chômage touche d'abord les jeunes travailleurs de 14 à 24 ans qui en viennent à avoir l'impression de vivre dans une société aux horizons bloqués. Les causes de cet essoufflement économique sont multiples. Les hauts taux d'intérêt forcent le gouvernement à diminuer ses dépenses. La hausse trop rapide des salaires et des coûts de production met en péril les nouveaux investissements. Sans compter que les politiques restrictives du gouvernement fédéral, adoptées en 1968 et 1969, et la dévaluation du dollar canadien en 1970 aggravent ce fléchissement. L'émigration aux États-Unis et dans les autres provinces reprend son cours. De 1967 à 1975, 317 000 Québécois quittent leur contrée d'origine, alors que 15% seulement des immigrants canadiens s'installent au Québec. Et parmi ceux qui choisissent le Québec, 90% optent pour la culture anglophone.

On note cependant un point moins sombre au tableau: les disparités régionales par rapport à Montréal s'atténuent, sauf dans trois régions; le Saguenay-Lac-Saint-Jean, Trois-Rivières et les Cantons-de-l'Est. Pour chacune de ces régions, il faudrait prévoir un plan de développement et d'aménagement. L'Office de planification et de développement du Québec (OPDQ), quant à lui, désillusionné, abandonne la partie. Il se dit incapable d'agir efficacement car «l'économie québécoise est surdéterminée par le gouvernement fédéral et les multinationales». Désormais, il s'en tiendra à des projets régionaux ou sectoriels.

On assiste alors à un vaste réalignement des forces politiques. Les anglophones et la classe moyenne supérieure francophone demeurent fidèles au Parti libéral et se rallient à Pierre Elliott Trudeau, élu premier ministre du Canada en 1968. Celui-ci croit en un Canada bilingue et multiculturel et, de concert avec les gouvernements provinciaux, il entreprend une révision de la Constitution axée sur son rapatriement d'Angleterre, la modernisation des institutions et l'inclusion de droits linguistiques individuels. Le Québec, toutefois, exige une répartition entièrement nouvelle des pouvoirs entre les divers ordres de gouvernement et la reconnaissance des droits collectifs, ce qui entraîne l'échec de la conférence constitutionnelle de Victoria en 1971.

Les partisans d'un Québec indépendant, déçus de l'échec du RIN aux élections de 1966 et du rejet par le Parti libéral du Québec de la thèse de la souveraineté-association à son congrès de 1967, se regroupent autour de René Lévesque, qui fonde, à l'automne de 1967, le Mouvement souveraineté-association (MSA). Ex-ministre des Richesses naturelles dans le cabinet Lesage, Lévesque jouit d'un prestige qui accrédite l'idée d'indépendance au sein de la population. Il bénéficie aussi des retombées de la venue du général de Gaulle, qui, à l'été 1967, à la surprise internationale et au grand dam d'Ottawa, s'était écrié «Vive le Québec libre!» du haut du balcon de l'hôtel de ville de

Montréal. Après une fusion avec le RN, le MSA devient en octobre 1968 le Parti québécois (PQ). Il propose à la population un système d'États associés: les deux nations composant l'actuel Canada auraient chacune leur État et s'associeraient dans une confédération décentralisée. La clientèle du PQ se recrute chez les enseignants, les étudiants, les professionnels, les cadres des mouvements sociaux et de la fonction publique. Son idéologie s'apparente à celle des artisans de la Révolution tranquille. D'ailleurs, on retrouve nombre d'entre eux au sein du parti. Le programme prévoit un rôle important de l'État dans un Québec indépendant et il privilégie, plutôt que la participation ou la cogestion, la planification, l'efficacité et la décentralisation administrative.

Les forces de gauche, quand elles n'arrivent pas à trouver place au sein du PQ, se regroupent en factions s'inspirant plus ou moins du marxisme à la russe ou à la chinoise. À moins qu'elles n'empruntent aux grands philosophes ou sociologues contestataires, tel Herbert Marcuse. Elles disposent de revues et de journaux (*Parti pris, Socialisme québécois, En lutte*) et de mouvements politiques organisés: le Parti socialiste du Québec, le Mouvement de libération populaire, etc. Bénéficiant de l'appui de nombreux militants syndicaux, elles travaillent à faire de la propagande et à infiltrer divers mouvements sociaux.

Un groupuscule, le Front de libération du Québec (FLQ), choisit la voie clandestine et révolutionnaire. L'indépendance politique du Québec, selon lui, ne peut venir que de la révolution sociale. Prétextant réveiller les Québécois inconscients, il s'en prend à l'establishment et aux symboles coloniaux et dénonce «la haute finance et ses marionnettes des gouvernements fédéral et provincial». Charles Gagnon et Pierre Vallières sont les penseurs de cette faction.

Le climat politique québécois de 1966 à 1970 est en ébullition. La contestation se radicalise. Les rapports sociaux se durcissent. La CSN et la CEQ (cette dernière se transforme en centrale syndicale et s'appellera désormais la Centrale de l'enseignement du Québec) s'engagent dans une orientation à caractère révolutionnaire. Plus qu'un instrument de défense des intérêts des travailleurs, le syndicalisme veut devenir le ferment qui transformera la société. Les mouvements étudiants se politisent et s'orientent vers la contestation permanente. Même la fête nationale de la Saint-Jean (24 juin), qui aurait pu donner lieu à une trêve, devient une occasion privilégiée d'affrontements.

L'Union nationale au pouvoir n'a pas la vie facile. Depuis la mort de Daniel Johnson, en septembre 1968, elle est dirigée par Jean-Jacques Bertrand, dont le leadership est mal assuré. Les media deviennent de plus en plus critiques, quand ce n'est pas franchement hostiles, au gouvernement. L'UN cherche à se maintenir à mi-chemin des extrêmes. Mais elle n'arrive pas à refaire le consensus. On lui reproche, qui de ne pas être assez nationaliste, qui de ne pas être assez fédéraliste. Péquistes et libéraux, eux, semblent offrir des choix plus clairs: un État souverainiste, technocratique et interventionniste ou un État fédéraliste, mais cherchant à assurer la souveraineté culturelle et s'appuyant sur l'entreprise privée. Aux élections générales du 29 avril 1970, le Parti libéral, dirigé par un nouveau chef, Robert Bourassa, reprend le pouvoir avec 72 députés sur 108.

La victoire des libéraux coïncide avec un redressement de l'économie nord-américaine. Et la poussée expansionniste se poursuit jusqu'en 1973, alors qu'elle touche un sommet. Par la suite, la situation se détériore. Il y a surchauffe de l'économie. On ne parle plus de prospérité, mais d'inflation galopante. Le taux de chômage augmente à nouveau. De fait, en 1974-1975, avec la hausse des prix du pétrole, l'Occident vit une des pires crises économiques depuis 1929. La popularité du gouvernement libéral tient beaucoup plus aux performances de l'économie qu'à l'image de son leader, qui ne suscite aucun courant d'identification. Trois événements d'ailleurs montrent bien que les assises populaires de Robert Bourassa sont fragiles. Depuis 1951, le pourcentage des francophones du Québec, avec la chute du taux de natalité, diminue et il devient impératif de sanctionner une «charte du français» qui ferait du Québec un pays francophone. Il faudra quatre ans et une autre élection au gouvernement de Bourassa pour présenter la loi 22 qui, à force de tout ménager, ne satisfait personne. Second événement: la Crise d'octobre 1970, provoquée par le FLQ, qui prend en otages le ministre québécois du Travail et un attaché commercial anglais. Les dix années qui suivront montreront qu'il s'agit là d'un événement ténébreux, porteur de significations multiples et où il est difficile de bien identifier la part réelle de chacun des intervenants. Chose certaine, l'image de Robert Bourassa n'en sortira pas grandie; plusieurs lui reprocheront son indécision et sa soumission au gouvernement fédéral et au maire de Montréal, Jean Drapeau. Troisième événement: l'échec de la conférence constitutionnelle de Victoria à l'été de 1971. Pressé par une opinion publique déchaînée qui tient «à une reconnaissance formelle et concrète de la nation québécoise», Robert Bourassa est contraint de rejeter, au nom du gouvernement du Québec, la Charte de Victoria définie par le gouvernement fédéral.

À court terme, le gouvernement Bourassa semble en mesure de tirer profit de ces événements; la population a besoin d'être rassurée. Aussi le Parti libéral remporte à nouveau la victoire aux élections de 1973. Mais il arrive parfois que les événements mettent du temps à déployer leurs effets profonds. De 1973 à 1976, les campagnes contre la loi 22, et celle pour l'Association des gens de l'air du Québec (AGAQ) qui réclame la francisation de l'espace aérien québécois, montrent bien que le réalignement politique amorcé durant les années 1960 se poursuit. Les Québécois sont de moins en moins nombreux à s'identifier au Canada. Finalement, le 15 novembre 1976, c'est la victoire électorale du Parti québécois.

Durant les années 1976-1980, à cause de l'augmentation continuelle de la facture pétrolière et d'un rythme d'inflation accéléré, on a craint le pire pour les économies occidentales. Il est vrai que le rythme de croissance de la production s'est peu à peu ralenti dans tous les pays; mais l'économie a résisté. La perspective de la récession a reculé de mois en mois, comme si les prédictions pessimistes avaient été déjouées. C'est dans ce contexte que le Parti québécois devait exercer le pouvoir.

Aidées par un taux de change à 85 cents, les exportations de produits manufacturés progressent constamment. Le nombre de touristes étrangers au Québec fait de même. Les emplois s'accroissent de 194 000 de 1977 à 1980, soit une moyenne de 65 000 par an. En 1979 seulement, on signale 33 000 nouveaux emplois dans le secteur manufacturier, soit le meilleur score en ce domaine depuis 30 ans. Il est vrai que, dans le cadre du programme OSE (Opération de solidarité économique), le gouvernement injecte, de 1977 à 1980, plus d'un demi-milliard de dollars dans l'économie pour créer ou soutenir 46 000 emplois. Durant la même période, le revenu brut du cultivateur s'accroît de 41,6%, les investissements à la ferme, de 63,1%, alors que le taux de suffisance du Québec en produits agricoles passe de 51 à 58%.

Sur le plan politique, le gouvernement du Parti québécois. qui avait promis de consulter la population sur la souveraineté-association, et de demeurer entre-temps «un bon gouvernement», joue la carte de la moralité, de la démocratie et de l'efficacité. À l'été 1977, une loi régissant le financement des partis politiques défend dorénavant aux compagnies et aux syndicats de contribuer financièrement à la caisse électorale des partis politiques et oblige ces derniers à divulguer l'état de leurs revenus et de leurs dépenses. Le gouvernement s'attache également à réduire les dépenses publiques qui s'étaient accrues sous l'administration précédente de 23,3% annuellement. De 1976 à 1980, ce taux annuel est réduit à 11,6%. Il adopte aussi un régime public et obligatoire d'assurance-automobile, une loi touchant la protection du territoire agricole et un programme d'assainissement des eaux prévoyant des investissements publics et privés de six milliards de dollars en dix ans. Dans le domaine linguistique, le gouvernement fait adopter la loi 101, qui fait du français la langue officielle du Québec et oblige, entre autres, les nouveaux arrivants à choisir l'école française pour leurs enfants.

Le 20 mai 1980, le gouvernement demande à la population, par la voie d'un référendum, de lui accorder le mandat d'entreprendre avec le gouvernement fédéral des négociations devant mener à la souveraineté-association pour le Québec. Près de 60% des votants répondent par la négative, ce qui oblige le Parti québécois, dans un congrès ultérieur, à remiser au moins pour quatre ans son option souverainiste. Entre-temps, le Parti libéral, franchement fédéraliste, dirigé par un nouveau chef, Claude Ryan, ancien directeur du *Devoir*, a le vent dans les voiles. Depuis 1977, il a remporté onze élections partielles. Mais le résultat du référendum et des élections complémentaires ne devait pas empêcher pour autant la population de se montrer très satisfaite du gouvernement. Les sondages en faisaient foi. Et, le 13 avril 1981, le Parti québécois se fait facilement réélire pour un second mandat.

Le parti de René Lévesque n'obtient pas le même succès au cours de son second mandat. La récession économique qui s'abat sur le monde occidental en 1981 et 1982 frappe le Québec de plein fouet. Un grand nombre de petites et moyennes entreprises encourent des déficits considérables; beaucoup doivent même déclarer faillite. Constamment à la hausse depuis 1980, le taux de chômage atteint 15,6% en août 1982, un record pour le Québec depuis la dépression des années 1930. Les jeunes de 15 à 24 ans sont les plus durement touchés; au cœur de la crise, 27% d'entre eux se retrouvent sans emploi. La reprise s'amorce en 1983, mais se révèle moins vigoureuse qu'en Ontario et aux États-Unis. Plus de 13% de travailleurs demeurent chômeurs.

Le gouvernement québécois, devant des dépenses qui ne cessent de croître et des revenus qui stagnent, estime ne plus avoir le choix. Il doit se livrer à des compressions budgétaires, notamment dans les domaines de l'éducation et des affaires sociales. Dans le but de récupérer 520 millions de dollars, il réduit unilatéralement les salaires des employés des secteurs public et parapublic et prolonge la durée des conventions collectives, ce qui provoque un grand ressentiment chez les syndiqués, la clientèle première du Parti québécois.

Par ailleurs, on voit poindre durant les années 1980, au Québec comme ailleurs, un retour aux valeurs du libéralisme traditionnel: remise en question de l'État-providence au profit du capital privé, déréglementation et décroissance des programmes sociaux, foi en la liberté d'entreprise, etc. Même un gouvernement comme celui du Parti québécois, pourtant issu en droite ligne des années de la Révolution tranquille, doit lâcher du lest et mettre de l'avant des politiques favorisant l'entreprise privée.

Mais le parti de René Lévesque n'est pas au bout de ses peines. L'entente constitutionnelle de novembre 1981 entre le gouvernement fédéral et les neuf provinces à majorité anglophone isole le Québec. Désormais, le Parlement fédéral peut modifier la Constitution sans l'accord unanime des provinces, pourvu qu'au moins sept d'entre elles représentant 50% de la population canadienne y consentent. La Cour suprême, une institution exclusivement fédérale et majoritairement anglophone, devient le juge ultime touchant l'interprétation de la charte canadienne des droits, dont plusieurs dispositions peuvent affecter les compétences québécoises, notamment dans les domaines scolaire et culturel. La nouvelle loi constitutionnelle est promulguée officiellement en avril 1982, en l'absence des représentants du gouvernement québécois.

Le choc de la défaite référendaire de mai 1980 et les manœuvres constitutionnelles du gouvernement fédéral amènent la mise en veilleuse de l'idée de souveraineté au sein du Parti québécois. Cela provoque en 1984 une véritable scission au sein du parti et entraîne le départ des éléments les plus indépendantistes et de plusieurs ministres vedettes. Déjà affaibli par le mécontentement populaire grandissant, consécutif aux mesures d'austérité budgétaire, le Parti québécois ne s'en remet pas. Le premier ministre René Lévesque annonce son retrait de la vie politique à l'été de 1985. Pierre-Marc Johnson lui succède à la suite d'une longue course à la chefferie. Au terme de son second mandat, malgré l'élection de Johnson, le parti ne parvient pas à retrouver la confiance de la population. Aux élections générales du 2 décembre 1985, le Parti libéral, à nouveau dirigé par Robert Bourassa, l'emporte haut la main, décrochant 99 des 122 sièges de l'Assemblée nationale.

1985-1995
Les réajustements nécessaires

De 1985 à 1989, le gouvernement Bourassa s'attache à contrôler les finances de l'État, ce qui n'empêche pas cependant les problèmes constitutionnels de refaire surface. Déjà, au cours de la campagne électorale fédérale de 1984, le futur premier ministre conservateur Brian Mulroney avait pris l'engagement de ramener le Québec dans le giron constitutionnel «dans l'honneur et l'enthousiasme». Le 30 avril 1987, réunis au lac Meech, un lieu de villégiature huppé situé dans l'Outaouais québécois, les premiers ministres des dix provinces et du Canada rédigent une entente de principe sur les cinq conditions posées par le Québec pour signer à son tour la loi constitutionnelle d'avril 1982: reconnaissance du Québec à titre de société distincte, garantie d'un rôle accru en matière d'immigration, participation à la nomination des juges de la Cour suprême du Canada, limitation du pouvoir de dépenser du gouvernement fédéral et reconnaissance d'un droit de veto au Québec sur les modifications à la constitution.

Les premiers ministres s'engagent alors à faire ratifier cette entente par leurs législatures respectives. À Ottawa, la Chambre des communes y va de sa ratification dès le 11 mai. Toutefois, les premiers ministres des provinces du Canada anglais, sans remettre en question ouvertement l'entente, commencent à exiger certains délais pour l'adopter. Ce que voyant, le premier ministre Mulroney les convoque au début de juin à Ottawa pour une nouvelle journée de négociations. Le 3 juin, les premiers ministres arrivent à un accord qui leur concède toutes les faveurs qu'ils viennent de consentir au Québec, avec la promesse que la question du Sénat canadien (sa représentativité, le mode de nomination de ses membres et, pour certains, son existence même) sera éventuellement débattue. On parlera par la suite de cette entente du 3 juin comme de l'Accord du lac Meech, qui n'est déjà plus cependant l'entente du 30 avril.

L'Assemblée nationale du Québec donne son appui à cet accord le 23 juin 1987, ce qui fixe ainsi au 23 juin 1990, comme le veut la constitution de 1982, la date limite pour son approbation par toutes les législatures du Canada. Le temps file son cours. D'autres législatures l'appuient rapidement, mais quelques-unes tardent. Dans certaines provinces, l'arrivée de nouveaux premiers ministres n'arrange pas les choses, car ces derniers ne s'estiment pas liés par les faits et gestes de leurs prédécesseurs. Le Manitoba, le Nouveau-Brunswick et Terre-Neuve, lorsqu'ils ne se montrent pas tout à fait irréductibles, posent maintenant de nouvelles conditions.

Le 15 décembre 1988, le jugement de la Cour suprême du Canada et les événements qui s'ensuivent jettent de l'huile sur le feu. En effet, celle-ci déclare qu'en vertu de la Charte des droits et libertés, le Québec ne peut interdire l'anglais comme langue d'affichage. Quatre jours plus tard, Robert Bourassa, le premier ministre du Québec, soumet à l'Assemblée nationale le projet de loi 178 confirmant le français comme seule langue autorisée pour l'affichage extérieur, mais permettant le bilinguisme à l'intérieur. Trois des quatre ministres anglophones, fort mécontents, quittent le cabinet.

Le 25 septembre 1989, le Québec vote à nouveau. Un certain nombre d'anglophones, provenant surtout de l'ouest de

Montréal et déçus des décisions gouvernementales sur la langue d'affichage, fondent leur propre parti, le Parti Égalité. Mais cela ne nuit guère au Parti libéral, toujours dirigé par Robert Bourassa, qui est réélu avec 92 sièges, alors que le Parti québécois, maintenant dirigé par Jacques Parizeau, fait élire 29 députés et le Parti Égalité, 4.

L'échéance du 23 juin 1990 approche. L'Accord du lac Meech sera-t-il enfin adopté par l'ensemble des provinces canadiennes? Des premiers ministres provinciaux anglophones s'y refusent toujours. Au Canada anglais, on assiste à une vague anti-francophone. En Ontario en particulier, des dizaines de municipalités se proclament unilingues anglophones. Au Québec, le gouvernement Bourassa demeure sur ses positions et jamais les sondages n'ont montré un si grand nombre d'adhérents à la cause de la souveraineté.

Au début du mois de juin, le premier ministre Mulroney convoque à Ottawa ses homologues des provinces pour une dernière séance de négociation de sept jours. Le 9 juin en soirée, on jubile: Meech est accepté! Il ne reste plus que la ratification par le Nouveau-Brunswick, le Manitoba et Terre-Neuve. Le Nouveau-Brunswick entérine rapidement l'accord, mais une guerre de procédures menée par les autochtones du Manitoba et l'annulation, à la dernière minute, du vote libre qui devait se tenir à la législature de Terre-Neuve conduisent à l'échec de l'accord. Devant le refus du Canada anglais d'accéder aux demandes du Québec, Robert Bourassa déclare solennellement: «Le Canada anglais doit comprendre de façon très claire que quoi qu'on dise et quoi qu'on fasse le Québec est aujourd'hui et pour toujours une société distincte, libre et capable d'assumer son destin.»

Trois jours plus tard, pacifiquement, près de cinq cent mille Québécois participent à Montréal aux festivités de la Saint-Jean, fête nationale du Québec.

En septembre 1990, le gouvernement crée la Commission sur l'avenir politique et constitutionnel du Québec, aussi connue sous le nom de ses deux commissaires: Commission Bélanger-Campeau. Parmi ses recommandations, publiées en mars 1991, la commission propose que soit tenu un référendum sur la souveraineté du Québec au plus tard le 26 octobre 1992, recommandation entérinée par la loi 150.

Les autres provinces canadiennes continuent à participer à des négociations constitutionnelles avec le gouvernement central, négociations que le Québec a décidé de boycotter, pratiquant la politique de la chaise vide. Ottawa évoque la possibilité de tenir un référendum pan-canadien sur les propositions qui résulteraient de ces discussions, si un nombre suffisant de provinces dont le Québec, les acceptait.

A l'été de 1992, le Québec décide de revenir dans la ronde constitutionnelle, et, fin août, à la suite de négociations houleuses, l'ensemble des participants s'entend sur une série de réformes constitutionnelles désignées sous le nom d'«Accord de Charlottetown».

Le Québec modifie alors la loi 150 pour faire porter le référendum du 26 octobre sur ces propositions. Deux référendums sont donc tenus simultanément à cette date, avec la même question, un au Québec et un au Canada anglais, qui se soldent tous deux par un échec. Le «non» remporte 56,6% des suffrages au Québec en même temps que cinq des neuf provinces anglophones — surtout dans l'ouest — s'opposent à l'accord. Au total, 54% des canadiens ont refusé l'Accord de Charlottetown.

Le Québec n'a donc toujours pas réintégré officiellement la confédération canadienne.

LE TEMPS DES INCERTITUDES

Avocat originaire du Lac-Saint-Jean, Lucien Bouchard va très vite s'imposer comme la personnalité politique la plus marquante de sa génération au Québec. Négociateur vedette pour le gouvernement du Parti québécois durant les années 70, ambassadeur du Canada à Paris dans les années 80, il s'est ensuite lancé en politique active à Ottawa, répondant à l'appel de son ami Brian Mulroney afin de réaliser le projet de réconciliation nationale proposé par ce dernier. Ministre fédéral de l'environnement, puis ministre responsable du Québec, Lucien Bouchard a été un des plus ardents défenseurs de l'Accord du lac Meech, avant de démissionner avec fracas en mai 1990, quand le fédéral a voulu en renégocier les termes, au détriment du Québec, selon Bouchard.

Après avoir siégé à la chambre des Communes comme indépendant, il fonde le Bloc québécois, parti politique actif à l'échelon fédéral mais dont l'objectif est la souveraineté du Québec. Aux élections fédérales du 25 octobre 1993, qui voient la défaite des conservateurs de Kim Campbell aux mains des libéraux de Jean Chrétien, le Bloc, à la surprise générale, récolte 54 sièges et est appelé à former l'Opposition officielle.

Autre ironie du jeu politique, un des premiers gestes du gouvernement de Jean Chrétien est de ratifier le traité de libre-échange avec le Mexique et les États-Unis (ALÉNA), le 17 décembre 1993. Les négociations entourant la signature de ce traité, qui avaient été menées par le précédent gouvernement conservateur, avaient encore une fois souligné la division du pays. Le Québec en effet, soutenait le traité, tandis que le Canada anglais — l'Ontario en tête — était violemment contre.

Le 12 septembre 1994, les libéraux de Daniel Johnson fils, qui a succédé à Robert Bourassa à la tête du parti et du gouvernement du Québec, sont défaits. Jacques Parizeau, chef du Parti québécois et nouveau premier ministre, enclenche, dès le 6 décembre de la même année, le processus référendaire annoncé dans le programme de son parti et devant mener à la souveraineté du Québec.

La campagne référendaire de 1995, comme celle de 1980 l'avait fait, éveille de vives passions dans les deux camps. On voit l'apparition d'un mouvement partitionniste au Québec rassemblant des communautés majoritairement anglophones qui voudraient continuer à être rattachées au Canada, dans l'éventualité d'un *oui* au référendum. D'autre part, les autochtones — qui sont, selon la Constitution canadienne, sous la juridiction du gouvernement fédéral — affirment également leur droit de se séparer d'un Québec qui deviendrait souverain.

Le soir du 30 octobre, les résultats du scrutin donnent les deux camps nez à nez, 49,4 % pour le *oui* et 50,6 % pour le *non*. Immédiatement après l'annonce des résultats, Jacques Parizeau, qui avait dirigé les forces du *oui,* fait une déclaration selon laquelle la défaite de son camp aurait été causée par l'«argent et les votes ethniques». Le tollé qui a accueilli cette déclaration, aussi bien chez les partisans du *oui* que chez ceux du *non,* le force à démissionner.

En janvier 1996, c'est Lucien Bouchard qui quitte Ottawa pour lui succéder à la direction du Parti québécois et au poste de premier ministre du Québec. Jean Chrétien, pris à parti au Canada anglais parce qu'il a mal évalué la force du mouvement souverainiste québécois, promet des réformes constitutionnelles afin de régulariser la situation du Québec. Il va même jusqu'à se rallier à l'idée de «société distincte» pour le Québec, idée qu'il avait jusque-là ardemment combattue.

L'impasse perdure donc en ce qui a trait à la question constitutionnelle et à la place du Québec dans la fédération canadienne.

Dans le domaine économique, les gouvernements du Canada

et du Québec, comme ceux de la plupart des pays occidentaux, imposent de sévères mesures budgétaires dans le but de réduire, voire d'éliminer, leur déficit. Cela se traduit par des coupes dans les programmes sociaux de même que dans les systèmes de santé et d'éducation. Par exemple, le gouvernement du Québec rejette dans la cour des villes de nombreuses responsabilités qui obligeront ces dernières à augmenter le fardeau fiscal des citadins.

Ces mesures ne font qu'amplifier les effets d'une conjoncture économique difficile, particulièrement sensible à Montréal. La métropole du Québec, avec un taux de chômage qui reste toujours très important, semble avoir de la difficulté à jouer son rôle de moteur économique du Québec.

Des mouvements populaires de protestation contre cette politique d'austérité budgétaire sont apparus ici et là, comme par exemple la marche «Du pain et des roses» contre la pauvreté, organisé par diverses associations de femmes, dans tout le Québec, en mai et juin 1995. Mais l'opposition semble avoir de la difficulté à s'organiser et ces événements restent isolés. Même le mouvement syndical semble s'être, bon gré mal gré, rallié au discours néolibéral du gouvernement.

Ce discours comptable n'est pas non plus sans effet sur la culture. L'enveloppe budgétaire dévolue à celle-ci est également menacée par la politique d'austérité des gouvernements, et les artistes voient leur situation économique devenir de plus en plus précaire et les moyens mis à leur disposition, de plus en plus modestes. Par contre, les «industries culturelles» connaissent beaucoup de succès — festivals de jazz ou de l'humour à Montréal, etc. — et des artistes québécois continuent de s'imposer sur la scène internationale. Ce ne sont peut-être plus des écrivains, des cinéastes ou des chansonniers, mais les Céline Dion et les Roch Voisine obtiennent des succès commerciaux comme le show-business québécois n'en a guère connu jusqu'à maintenant.

Premiers ministres du Québec depuis 1867

Nom	Parti et date de nomination
Chauveau, Pierre J.-O.	Conservateur, 15 juillet 1867
Ouimet, Gédéon	Conservateur, 27 février 1873
Boucherville, Charles-Boucher de	Conservateur, 22 septembre 1874
Joly, Henri-G.	Libéral, 8 mars 1878
Chapleau, J.-Adolphe	Conservateur, 31 octobre 1879
Mousseau, J.-Alfred	Conservateur, 31 juillet 1882
Ross, John Jones	Conservateur, 23 janvier 1884
Taillon, L.-Olivier	Conservateur, 25 janvier 1887
Mercier, Honoré	Libéral, 29 janvier 1887
Boucherville, Charles-Boucher de	Conservateur, 21 décembre 1891
Taillon, L.-Olivier	Conservateur, 16 décembre 1892
Flynn, Edmund J.	Conservateur, 11 mai 1896
Marchand, F.-Gabriel	Libéral, 24 mai 1897
Parent, S.-Napoléon	Libéral, 3 octobre 1900
Gouin, Lomer	Libéral, 23 mars 1905
Taschereau, L.-Alexandre	Libéral, 9 juillet 1920
Godbout, Adélard	Libéral, 11 juin 1936
Duplessis, Maurice	Union nationale, 26 août 1936
Godbout, Adélard	Libéral, 8 novembre 1939
Duplessis, Maurice	Union nationale, 30 août 1944
Sauvé, Paul	Union nationale, 11 septembre 1959
Barrette, Antonio	Union nationale, 8 janvier 1960
Lesage, Jean	Libéral, 5 juillet 1960
Johnson, Daniel	Union nationale, 16 juin 1966
Bertrand, Jean-Jacques	Union nationale, 2 octobre 1968
Bourassa, Robert	Libéral, 12 mai 1970
Lévesque, René	Parti québécois, 25 novembre 1976
Johnson, Pierre Marc	Parti québécois, 3 octobre 1985
Bourassa, Robert	Libéral, 12 décembre 1985
Johnson, Daniel	Libéral, 11 janvier 1994
Parizeau, Jacques	Parti québécois, 12 septembre 1994
Bouchard, Lucien	Parti québécois, 26 janvier 1996

BIBLIOGRAPHIE SÉLECTIVE

Bilodeau, Rosario, dir., *Histoire des Canadas,* Montréal, HMH, 1971, 676 p.

Dechêne, Louise, *Habitants et marchands de Montréal au XVIIe siècle,* Paris et Montréal, Plon, 1974, 588 p.

Hamelin, Jean, dir., *Histoire du Québec,* Toulouse, Privat, 1976, 538 p. et Montréal, France-Amérique, 1977, 538 p.

Hamelin, Jean et Yves Roby, *Histoire économique du Québec, 1851-1896,* Montréal, Fides, 1971, 436 p.

Linteau, P.-A., R. Durocher et J.-C. Robert, *Histoire du Québec contemporain,* I. *De la Confédération à la Crise,* Montréal, Boréal Express, 1978, 658 p.

Linteau, P.-A., R. Durocher, J.-C. Robert et F. Ricard, *Histoire du Québec contemporain,* II. *Le Québec depuis 1930,* Montréal, Boréal Express, 1986, 739 p.

McRoberts, L., et D. Posgate, *Développement et modernisation du Québec,* Montréal, Boréal Express, 1983, 352 p.

Ouellet, Fernand, *Histoire économique et sociale du Québec, 1760-1850,* Montréal, Fides, 1966, 639 p.

Tétu de Labsade, Françoise, *Le Québec: un pays, une culture,* Montréal, Boréal, 1990, 464 p.

Trudel, Marcel, *Initiation à la Nouvelle-France,* Montréal, Holt, Rinehart et Winston, 1966, 323 p.

Vaugeois, Denis et Jacques Lacoursière, dir., *Canada-Québec, Synthèse historique,* Montréal, Renouveau pédagogique, 1983, 619 p.

Wallot, Jean-Pierre, *Un Québec qui bougeait,* Montréal, Boréal Express, 1973, 345 p.

TABLE DES MATIÈRES

MISE EN PAGES ET TYPOGRAPHIE :
LES ÉDITIONS DU BORÉAL

CE SEPTIÈME TIRAGE A ÉTÉ ACHEVÉ D'IMPRIMER EN OCTOBRE 2000
SUR LES PRESSES DE L'IMPRIMERIE AGMV MARQUIS
À CAP-SAINT-IGNACE (QUÉBEC).